KB182842

원북
WON BOOK

이명원의 명원과 명언 사이

함향

원북
WON BOOK

이명원의 명원과 명언 사이

함향

2018년 3월 12일 '이명원 가족의 28일간 유럽여행'이라는 제목으로 가족여행에 대한 책을 그야말로 호기롭게 발간했다.

내친김에 그로부터 2년 후인 2020년 1월 7일 '스피치 4.0_인사말 길라잡이'란 제목으로 구의회 의장으로서 축사와 격려사 실전 경험을 담은 두 번째 책을 출간했다. 자판을 두드릴 힘이 남아 있을 때까지 2년에 한 권씩 책을 내기로 마음속으로 목표를 세웠는데, 이번에 자신과의 약속을 지킬 수 있게 되어 다행이다.

세 번째 책의 주제를 최종 결심하기까지 즐거운 고민의 시간이 생각보다 길어졌다. 처음에는 3선 구의원으로서 의정활동에 대한 회고록을 쓸 생각이었다. 그러나 의정활동에 대한 정치인들의 회고록은 시중에 널려 있고 좀 밋밋하다는 생각에 의정활동을 영어로 번역한 책도 괜찮겠다는 생각을 하기도 했다. 10여 년 전 결성된 7080 밴드에서 베이스 기타를 맡아서 활동해 온 시간을 녹여 음악에 대한 책을 쓰고 싶은 욕심도 있었고, '스피치 4.0'의 개정증보판인 '스피치 4.1'을 출간하는 것으로 방향을 잡기도 했다.

이 생각 저 생각 행복한 고민을 즐기다가 일기처럼 써오던 페이스북을 활용하여 책을 쓰기로 최종적으로 결심하게 됐다.

이 책에는 세 가지 특징이 있다.

첫 번째 특징은 2012년 페이스북을 시작한 이후, 일기처럼 써 온 삶의 기록들과 느낌을 적은 것 중에 괜찮은 것을 선별하여 왼쪽 페이지에 배치했다. 오른쪽 페이지에는 책을 읽은 후 기록해 둔 감동적인 글이나 정보가 될만한 내용 중 왼쪽 페이지와 어울리는 것을 골라 배치하는 식으로 구성해봤다. 또한 즐겨 암송하는 시나 노래, 지인들이

sns를 통해 보내온 좋은 글들도 실었다. 이 책의 부제를 '명원과 명언 사이'라고 붙인 이유이기도 하다.

두 번째 특징은 QR코드를 활용했다는 것이다. 페이스북 내용이 많아서 지면에 다 싣지 못하거나, '스피치 4.0' 발간 이후 개최된 행사에서 했던 축사나 격려사 동영상, 신문에 기고한 칼럼 등에 QR코드를 찍으면 바로 전문을 보거나 동영상을 볼 수 있도록 했다.

마지막 특징은 유튜브에 업로드시킨 축사 동영상들을 QR코드로 링크를 해 놓음으로써 '스피치 4.0' 이후 보강된 내용을 버전 업 시킨 '스피치 4.1'을 이 책 속에 녹여 넣었다. 한 권으로 두 권의 효과를 보는 일석이조의 효과를 노렸다는 것이다.

페북에 기록된 지천명의 치열했던 삶의 흔적 더미에서 추리고 추려서 책으로 만들다 보니, 더하기보다 빼는 작업이 더 힘들었다. 아무리 사소한 내용이라도 어느 것 하나 예외 없이 다시 못 올 내 삶의 흔적들이기 때문일 것이다.

마이다스의 손으로 졸저가 출판될 수 있게 도와주신 도서출판 함향의 임규찬 대표님께 감사드린다.

노령에 큰 수술을 이겨내신 자랑스러운 어머니와 하늘에 계신 아버지, 나의 아내, 영주, 동주 그리고 나의 혈육들, 의정활동을 할 수 있는 기회를 허락해 주신 지지자 여러분께 이 책을 바친다.

"모두 고맙습니다"

목차 Contents

20 · **22**년 11

21년 23

20년 137

19년 177

18년 215

17년 247

16년 이전 259

2022

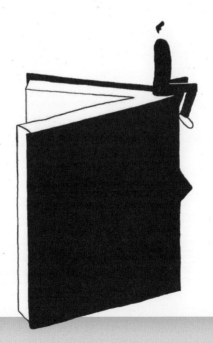

Wonbook

 주민자치회 이취임식
2022년 1월 21일

2기 주민자치회 출범을 축하하는 축사에서,

죽음을 앞둔 사람에게 찾아온 신이 가지고 온 내 여행가방은 텅 비어 있다. 돈이나 옷, 명품은 지구라는 이 행성에 속하는 것들이고, 추억은 시간에, 부모님과 형제자매는 인생이라는 여행길에, 내 몸은 흙에, 영혼도 신에게 속하는 것이라고 했는데.

내 것은 뭘까 궁금하신 분들은 링크해 놓은 축사 동영상 속에 답을 찾아보시기 바랍니다. 공동체를 위해 내 시간과 노력을 내어 놓은 모든 분들께 임인년 새해 건강과 복을 기원합니다.

<축사 동영상 보기>

한 남자가 죽었다. 자신의 죽음을 알아차렸을 때, 그는 신이 여행 가방을 끌고 자신에게 다가오는 것을 보았다.

신 : 자, 아들아, 떠날 시간이다.
남자 : 이렇게 빨리요? 그 가방 안에 무엇이 들어 있나요?
신 : 너의 소유물이 들어 있지.
남자 : 내 소유물? 그 말은 내 옷과 돈, 이런 것들인가요?
신 : 그런 것들은 너의 것이 아니라 이 행성에 속한 것들이지.
남자 : 나의 추억들인가요?
신 : 아니야. 그것들은 시간에 속한 것이지.
남자 : 내 재능들인가요?
신 : 아니, 그것들은 환경에 속한 것이지.
남자 : 내 친구와 부모 형제인가요?
신 : 아니야, 아들아. 그들은 너의 여행길에 속한 것이야.
남자 : 그럼 내 육체인 게 틀림없군요.
신 : 아니, 아니야. 그것은 흙에 속한 것이지.
남자 : 그럼 내 영혼인 게 확실해요!
신 : 슬프게도 넌 잊었구나. 네 영혼은 나에게 속한 거야.

텅빈 여행가방을 보며 남자는 비통해하며 신에게 물었다.

남자 : 난 아무것도 소유한 적이 없나요?
신 : 그렇다, 넌 아무것도 소유한 적이 없어.
남자 : 그렇다면, 내 것은 뭐였죠?
신 : 너의 가슴 뛰는 순간들, 네가 삶을 최대한으로 산 모든 순간이 너의 것이었지.

<류시화, '새는 날아가면서 뒤돌아보지 않는다' 중에서>

53사단 장병들에게
2022년 1월 14일

소방서 현장 근무자들에게는 작년 말에, 53사단 장병들에게는 사단장의 환대를 받고 오늘 핫팩을 전달했다. 앞으로 군과 의회가 더 자주 소통하기로 했다.

집에 돌아가면 사랑하는 아들딸인데. 분단국가에 태어나는 바람에 고생하는 장병 여러분, 수고 많습니다. 며칠 후면 혹한기 훈련이 시작된다고 하는데 때마침 잘 가져온 것 같습니다.

집으로 돌아갈 때까지 건강하게 군 생활하시기 바랍니다.

나 태어난 이 강산에 군인이 되어
꽃 피고 눈 내리기 어언 삼십 년.

무엇을 하였느냐 무엇을 바라느냐
나 죽어 이 흙 속에 묻히면 그만이지.

아 다시 못 올 흘러간 내 청춘
푸른 옷에 실려간 꽃다운 이 내 청춘

아들아 내 딸들아 서러워 마라
너희들은 자랑스런 군인의 자식이다.

좋은 옷 입고프냐 맛난 것 먹고프냐
아서라 말아라 군인 아들 너로다.

아 다시 못 올 흘러간 내 청춘
푸른 옷에 실려간 꽃다운 이 내 청춘

<최백호, '늙은 군인의 노래' 노래 듣기>

오너리스크
2022년 1월 10일

스타벅스 커피는 너무 비싸기도 하고, 드라이브 스루 때문에 전국적으로 말도 안 되는 교통 정체 주범 중 하나라서 마음에 안 들었는데.

혹시 그거 아는지?

1. 스타벅스의 로고에 그려진 왕관을 쓴 여인이 그리스 로마 신화에 나오는 반인반어인 세이렌이고,

2. 스타벅스의 로고를 세이렌으로 한 이유가 세이렌의 감미로운 노래로 지나가는 배의 선원들을 유혹하여 잡아먹은 것처럼, 세이렌의 매혹에 넘어가서 스벅에 자주 찾아오라는 것인지도 모르고,

3. 트로이 목마를 만들어 트로이 전쟁을 승리로 이끈 영웅 오디세우스는 세이렌의 노래를 듣고 싶어서 자신의 몸을 돛대에 묶은 채 세이렌의 유혹을 겨우 이겨냈다는 것.

오너 리스크(owner risk)가 주식 시장에 리얼타임으로 반영되는 것을 보면서 우리 국민들의 저력에 감탄!

<세이렌, 나무위키>

더 멋진 JC로 발전하길
2022년 1월 10일

해운대구 JC 회장이셨던 정성엽 회장의 임기 말에 JC가 해운대를 위해 뭔가를 하고 싶다는 제안을 하면서 우리 의회와 인연을 맺기 시작.

당시 차기 회장으로 내정된 백종현 회장과 같이 의회를 방문했을 때 두 사람 첫인상이 참 좋았는데, 벌써 백종현 회장이 이임하고 차기 박경남 회장이 바통을 이어받는다고 해서 아쉬움을 전하고 축하를 전했다.

더 멋진 JC로 발전하길.

<축사 동영상 보기>

청춘!

이는 듣기만 하여도 가슴이 설레는 말이다.

청춘!

너의 두 손을 가슴에 대고,
물방아 같은 심장의 고동을 들어 보라.

청춘의 피는 끓는다.
끓는 피에 뛰노는 심장은
거선의 기관과 같이 힘있다.

이것이다.
인류의 역사를 꾸며 내려온 동력은 이것이다.

이성은 투명하되 얼음과 같으며
지혜는 날카로우나 갑 속에 든 칼이다.

청춘의 끓는 피가 아니더면
인간이 얼마나 쓸쓸하랴?

얼음에 싸인 만물은 얼음이 있을 뿐이다.

<민태원, '청춘예찬' 중에서>

임인년 첫 일출
2022년 1월 1일

71년 만에 개방되는 장산 정상.

한 조각 빛 만으로도 모든 어둠이 물러가 버리는 해운대 도심을
71년 만에 개방된 장산의 정상에서 내려다본다.

임인년 첫 일출을
새해 선물로 보내 드립니다.

<축사 동영상 보기>

빛은
실재이고.

어둠은
현상에 불과한 것.

빛이 없어
어두운 것이지,

어두워서
빛이 없는 건 아니다.

<정재찬, '시를 잊은 그대에게' 중에서>

2021

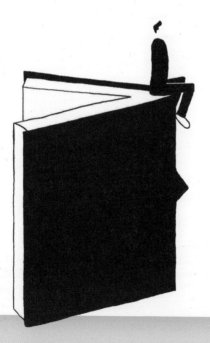

한국산업기술원
2021년 12월 31일

지방의원 교육 전문기관인 '한국산업기술원'에서 특임교수로 모시고 싶다고 해서,

"그러면 저야 영광이죠"하고 별 기대 없이 대답했었는데.

위촉장이 실제로 배달되어 왔다.

실제로 위촉할 줄은 생각지도 못했는데,

막상 위촉장을 손에 들고 보니,
새해 선물을 받은 것 같아 기분이 좋다.

한국산업기술원의 위상에 누가 되지 않아야 할 텐데…

겸손없이
위대함은 만들어지지 않는다.

겸손을 스스로 배우지 않으면
신은
모욕과 굴욕을 안김으로써
그것을 가르친다.

한 사람을
위대하게 만들기 위함이다.

<프란시스 퍼킨스>

Wonbook

 월동준비
2021년 12월 24일

마지막 잎새까지 깨끗이 다 털어내고 월동 준비가 끝난 나무들.

인생의 겨울이 지나면 우리는 저 나무들처럼 다시 살아 돌아오지 못할 텐데 어떻게 월동준비를 해야 하나?

산울림의 노래를 부르던 때가 어제 같은데, 자고 났더니 푸르던 내 청춘 다 어디 가고 월동 걱정을 하고 있나!

<산울림, '청춘' 노래 듣기>

나는

내가 지금부터 짊어지고 갈 슬픔의 무게가

얼마만한 것인지는 모르지만

그것을 감당해낼 힘이 나의 내부에,

그리고 나와 함께 있는 수많은 사람들 속에

풍부하게, 충분하게 묻혀 있다고 믿는다.

〈신영복, '감옥으로부터의 사색' 중에서〉

부처님의 자비가 가득하기를
2021년 12월 24일

금수암 덕림 스님의 통 큰 기부로 만들어진 공영주차장이라 그 의미가 더 큰 듯.

*큰 덕, 수풀 림. 스님의 법명처럼 베푸시는 덕이 숲을 이루어 재송동을 넘어 해운대 전역으로 부처님의 자비가 가득하기를 기원해 봅니다.

<축사 동영상 보기>

강은
자신의 물을 마시지 않고,

나무는
자신의 열매를 먹지 않습니다.

태양은
스스로 자신을 비추지 않고,

꽃은
자기를 위해 향기를 퍼뜨리지 않습니다.

남을 위해 사는 게
자연의 법칙입니다.

우리 모두는
서로 돕기 위해 태어난 것입니다.

아무리 그게 어렵더라도
말이지요.

<프란치스코 교황,
코로나19로 힘들어하는 사람들에게 주는 메시지>

정치는 무엇인가?
2021년 12월 21일

11월 15일부터 시작된 33일간 대장정의 8대 의회 마지막 정례회가 정족수 미달로 허무하게 자동산회.

기초의원 정당공천제와 여야 동수 의회의 폐해가 무한 반복되는 해운대구의회.

파행으로 인한 피해는 고스란히 주민들에게 돌아간다.
유시유종의 멋진 마무리가 되길 기대했는데.

아쉽고 두렵다!

정치는 좋은 제도를 만드는 것이다.

좋은 제도가 문제를 해결한다.

시대는 이념이 아니라 문제 해결이다.

좋은 제도를 만드는 일은 희생적인 일이 아니다.

좋은 제도는 그 혜택을 나 자신도 누리게 되므로,
좋은 제도는 호혜적이다.

좋은 제도를 키우고, 그 제도가 크는 만큼 정치인도
함께 크는 것이 순리라 생각한다.

정치는 결국 좋은 제도를 만드는 것이다.

적십자 표창장
2021년 12월 20일

연말이 되니 SNS에 상 받았다고 자랑하는 사람들이 많은데. 나 홀로 부럽지 않은 척하면서 자의 반 타의 반 독야청청하고 있었더니 적십자에서 표창장을 갖다 준다.

별로 표창 받을 일도 안 했고 두 달 전 직인이 찍혀있어 위조가 아닌지 조심스럽다. 요즘 표창장은 잘 못 받으면 패가망신의 지름길인데.

상 복 없는 사람이 표창장을 받으니 쑥스럽구먼.

고독

웃어라, 세상이 너와 함께 웃을 것이다.
울어라, 너 혼자만 울게 될 것이다.

노래하라, 언덕들이 응답하리라.
탄식하라, 허공에 흩어지고 말리라.

기뻐하라, 사람들이 너를 찾으리라.
슬퍼하라, 그들은 너를 떠날 것이다.

즐거워하라, 그러면 친구들이 늘어날 것이다.
슬퍼하라, 그러면 그들을 다 잃고 말 것이다.

축제를 열라, 그럼 너의 집은 사람들로 넘쳐나리라.
굶주리라, 세상이 너를 외면할 것이다.

즐거움의 방들엔 여유가 있어
길고 화려한 행렬을 들일 수 있다.
하지만 좁은 고통의 통로를 지날 때는
우리 모두는 한 줄로 지나갈 수밖에 없다.

<엘라 휠러 윌콕스>

장애인 연합회
2021년 12월 16일

돼지는 고기와 심지어 족발까지 다 내주지만 암소가 더 사람들에게 인기 많은 이유를 아시나요?

돼지는 죽어서야 자기 것을 내어놓지만, 암소는 적은 것이라도 살아 있을 때 우유를 주기 때문이랍니다.

후원 금액의 다과를 떠나 새해에는 김종암 회장이 이끄는 장애인협회에 후원자가 떼 지어 몰려오기를 기대해 본다.

<축사 동영상 보기>

인간은

스스로의 선택에 의해

자신의 모습을 만들어 간다.

<사르트르>

시 낭송대회
2021년 12월 13일

올해 초 詩 50수 외우는 목표를 세우고 처음으로 외운 시가
시인 이채의 '새해엔 이렇게 살게 하소서'.

목표에는 약간 못 미치지만 틈나는 대로 시와 함께했던 한 해였다.
내년에는 내친김에 시 낭송을 배워야겠다. 내가 즐겨 암송하는
시와 내 인생의 늦가을 시를 멋진 목소리로 낭송하려면.

윤귀영 회장님, 시 낭송대회 최고였습니다.

<축사 동영상 보기>

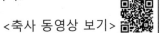

날마다 찾아오는 아침이라도/밤마다 이슬 같은 꿈을 꾸며
할 수 없는 일보다/할 수 있는 일이 더 많도록/희망과 용기를 잃지 않
게 하소서

어떤 일이든지/결과보다 과정의 소중함을 느끼게 하여/설령 노력의
댓가가 없을지라도/포기하지 않는 꿋꿋함으로/내가 하는 일에 자부
심을 갖도록 하소서

남과 비교하지 말며/크든 작든 나의 삶에 만족하며/나는 나일뿐이라
는/자아를 성찰하는 자세로/일상의 소박한 것들에 감사하게 하소서

겸손과 친절로써/마음의 꽃잎이 부드럽고/생각의 향기가 아름다워/
누구나 함께 하고 싶은 사람/누구에게나 환영받는 사람이 되게 하소서

벗이 슬플 때/함께 슬퍼할 줄 알고/이웃이 아플 때/함께 아파할 줄
아는 사람/그들과 늘 변함없는 우정으로 살게 하소서

도움을 줄 때엔 말없이/도움을 받았을 때엔/그 감사함을 잊지 않게
하시어/나도 누구를 도와 줄 수 있는/햇살같이 따뜻한 가슴을 지니게
하소서

보석 같은 시간을/한순간이라도 헛되이 보내지 말며/오늘 뿌린 씨앗
이 내일의 숲에/나무가 되고 잎이 되어/한 해의 삶이 기쁨의 열매로
가득하게 하소서

〈이채, '새해엔 이렇게 살게 하소서'〉

돌봄
2021년 12월 9일

14회 해운대구 자원봉사 대상 시상식.

인생은 나를 돌봐준 이와 내가 돌봐 줄 이로 이루어진 돌봄의 연속.

가정을 넘어 생면부지의 사람들을 위한 봉사활동은 말처럼 쉽지 않은데, 여러분 덕분에 우리 사회가 이만큼 이나마 살 만한 것 같습니다. 모두 고맙습니다. 수상자 여러분 축하드립니다.

<축사 동영상 보기>

신앙의 대상이 무엇이든,
신앙의 실천이 무엇이든

사람들이 찾고자 하는 게
제각기 다르면서도
끝내 하나로 귀결되는 것이 바로
자신과 남들을 위한 '돌봄'일 것이다.

돌보는일이야말로
살리는 일이요,

살리는 일이야말로
사르는 일이다.

〈정훈, '아크2 믿음, 우리가 그것을' 중에서〉

Wonbook

 수고 그리고 기대
2021년 12월 8일

해운대구 주민자치위원장협의회 이취임식 및 송년의 밤.

이임하시는 정원모 회장님과 회장단 여러분,
그동안 수고 많았습니다.

신임 김정섭 위원장님 취임을 축하드리고,
신임 회장단의 활약을 기대합니다.

<축사 동영상 보기>

겸손 없이
위대함은 만들어지지 않는다.

겸손을 스스로 배우지 않으면
신은
모욕과 굴욕을 안김으로써
그것을 가르친다.

한 사람을
위대하게 만들기 위함이다.

<프란시스 퍼킨스>

서러움
2021년 12월 6일

황반변성인 줄 모르고 골든 타임을 놓치는 바람에 한쪽 눈 실명 일보 직전. 다른 한쪽 눈을 보호하기 위해 안구에 주사를 맞아야 하는 나이 든 어머니의 무기력한 모습에 가슴이 아팠다는 말을 하는 작은누이.

누이의 이야기 속에는 눈물 자국이 진하게 얼룩져 있었는데. 불과 며칠 전에.

오늘은 어머니가 담 때문에 거동이 어렵다고 한다. 오는 토요일 외손자 결혼식에도 가셔야 하는데.

작은누이
마음이 또 힘들겠다.

90년 세월의 풍상에
못나게 변해 버린 어머니의 발톱을
작은누이가 깎아 드리는데!

왈칵 쏟아질 듯한
눈물 때문에

작은누이가 어머니 발톱을
제대로 깎을 수나 있을지!

어머니 발도 어릴 때는

아장아장 걸음마도 했고
폴짝폴짝 고무줄 놀이도 했던

귀여운 발이었을 텐데…

진정한 지방분권
2021년 12월 1일

부울경 단체장과 대통령 직속 자치분권 위원장이 패널로 나오고 전호환 동명대 총장이 사회를 보는 지역분권 부울경 포럼.

지루한 주제일 수 있지만 큰 관심이 가는 이유는 지역분권 포럼이 행정분권에 초점을 맞추고 있다면 기초의원 공천 폐지는 정치분권이라고 할 수 있기 때문이겠지.

자치경찰제가 시행되었지만 진정한 지방분권은 인사와 재정을 넘어 정치분권까지 가야 한다는 것에 대한 화두를 던져본다.

달을
쳐다보라고 하는데

손가락 끝을
쳐다보는 사람

*견지망월(見指忘月)

본질을 외면한 채 지엽적인 것에 집착한다는 뜻.

Wonbook

 확증 편향
2021년 12월 1일

당랑을 짓밟고 역사의 수레바퀴는 더디지만 굴러가고 있다.

그러나 '이성은 감정의 노예'라서 이미 레거시 언론과 가짜 뉴스, 극우 유튜버를 많이 본 보수 성향 국민들은 내심으로 수용하기 어려울 것이고,

설상가상 극우 유튜버와 가짜 뉴스에서는 여당의 힘으로 판결을 조작했다고 떠들어 댈 것이고,

확증 편향에 빠져있는 사람들은 무죄판결에 고개를 갸우뚱하다가 자기 믿고 싶은 대로 믿고, 듣고 싶은 대로 듣기 때문에 법원의 판결을 받아들이지 못할 것이다.

결국 일을 기획한 자들은 결과에 관계없이 성공한 것.

어쩌랴! 국민은 자기 수준에 맞는 정치 지도자를 뽑는 법.

<신문 기사 보기>

남의 이야기를 하려면

그 사람의 신발을 신고

일주일은

걸어 다녀봐야 한다.

<인디언 격언>

기초의원 정당공천제 폐지해야
2021년 11월 29일

내일 자 국제신문에 '기초의원 정당공천제 폐지해야' 라는 제목으로 칼럼을 기고했다.

기초의원 정당공천제는 일장일단이 있어 찬성 의견도 적지 않을 뿐 아니라 당분간 법이 개정될 것이라는 기대는 크게 하지 않지만 기초의원 3선을 하면서 느낀 개인 의견을 피력.

<국제신문 기고문 보기>

국제신문에 칼럼을 기고하고 보름쯤 후에 '충청리뷰'에서 내 기고문의 상당 부분을 그대로 인용하면서 대선후보들에게 기초의원 정당공천제 폐지를 요구하는 내용의 기사를 썼다.

2012년 제18대 대선 후보였던 박근혜와 문재인 모두 공천제 폐지를 공약으로 내걸었으나, 박근혜가 대통령에 당선되자 새누리당이 공약을 걷어찬 과거 이야기와 함께.

<충청리뷰 기사 보기>

'+'가 그려진 카드를 보여주면,

수학자는 '덧셈'
산부인과 의사는 '배꼽'
목사는 '십자가'
교통순경은 '사거리'
간호사는 '적십자'
약사는 '녹십자'

라고 말한다.

서로 틀린 것이 아니고
다른 것이다.

그래서 사람은

비판의 대상이 아니라
이해의 대상이다.

주민 김장행사
2021년 11월 26일

자유총연맹 해운대지부의 북한이탈 주민을 위한 김장행사.

김장행사가 유네스코 무형문화유산으로 등록된 이유는 단순히 겨울에 먹을 김치를 담그는 것을 넘어, 공동체가 서로 마음을 나누는데 그 의미가 있기 때문일 것이다. 현장에서 막 치댄 김장김치의 달콤한 맛은 먹어 본 사람만이 아는 법.

김정균 위원장, 양기성 국장을 비롯한 김장한다고 수고하신 분들 모두 훈훈한 겨울이 되길 기원합니다.

시간이 지나면
부패되는 음식이 있는가 하면

시간이 지나야
발효되는 음식이 있습니다.

사람도 이와 마찬가지입니다.

세월이 지나면
부패되는 인간이 있는가 하면
발효되는 인간도 있습니다.

우리는 부패된 상태를
썩었다고 말하고,

발효된 상태를
익었다고 합니다.

언론 신뢰도 순위
2021년 11월 20일

Q 국가별 언론 신뢰도 순위 TOP10

순위	국가	신뢰도
1위	프랑스	56%
2위	포르투갈	56%
3위	터키	55%
4위	네덜란드	52%
5위	브라질	51%
6위	케냐	50%
7위	남아프리카공화국	48%
8위	핀란드	48%
9위	덴마크	46%
10위	독일	45%
⋮		
22위	일본	37%
⋮		
40위	한국	21%

자료 : 디지털 뉴스리포트 2020

"신에게는 아직 12척의 배가 있사옵니다."라는 문구를 두고
'반일' 구호라고 주장한 자들이 있었습니다.

"십자가에 못 박힌 아들을 보며 괴로워하던 성모님의 마음"
이라는 문구를 두고 '조국을 예수에 비유했다'고
주장하는 자들이 있습니다.

사람들이 자기가 이순신 급이라고 생각해서
'백의종군하겠다.'고 하는 것이 아니며,

자기가 예수 급이라고 생각해서
'십자가를 지겠다'고 하는 것이 아니라는 것 쯤은
저들도 알 겁니다.

세상을 악으로 물들이는 간교함은,
언제나 무식을 선동해
제 편으로 만듭니다.

<페친 전우용의 페북>

해운대구 사회복지 지역대회
2021년 11월 19일

해운대구 사회복지 지역대회.

음악 밴드의 베이스 기타가 있는 듯 없는 듯 공연을 맛깔나게 하듯, 낮고 어두운 곳에서 우리 사회를 살 만한 곳으로 만들어 주시는 복지사 여러분들께 감사드립니다.

여러분의 처우가 현실화될 수 있도록
같이 노력하겠습니다.

<축사 동영상 보기>

비를 맞으며 걷는 사람에겐
우산보다 함께 걸어줄 누군가가
필요한 것임을,

울고 있는 사람에겐 손수건 한 장보다
기대어 울 수 있는 한 가슴이
더욱 필요한 것임을,

그대를 만나고서부터
깨달을 수 있었습니다.

그대여,
지금 어디 있는가!

보고 싶다 보고 싶다
말도 못할 만큼
그대가 보고 싶다.

<이정하, '기대어 울 수 있는 한 가슴'>

해운대구청장배 골프대회
2021년 11월 19일

만산홍엽의 계절에 녹색 그라운드 위에서 2년 만에 개최된 해운
대구청장배 골프 대회.

꽃 한 송이 사람 한 사람이 소중하게 와닿지 않으면
잠시 삶의 발걸음을 멈추어라!

오늘은 정말 삶의 발걸음을 멈추고
단풍도 즐기면 좋을 듯.

<축사 동영상 보기>

우리는 삶의 시냇물을 그리워하고
아아! 삶의 원천을 그리워하게 되는구나.

나는 그저 놀기만 하기에는 너무나 늙었고,
아무런 소망도 없이 살기에는 너무나 젊도다.

내가 순간을 향하여, 멈추어라!
너 정말 아름답구나! 하고 말을 한다면
너는 나를 꽁꽁 묶어도 좋다!

살랑거리며 흘러가는 시간 속으로,
사건의 소용돌이 속으로 뛰어들도록 하자!

〈요한 볼프강 폰 괴테, '파우스트' 중에서〉

Wonbook

 합동 워크샵
2021년 11월 3일

개정 지방자치법이 시행되는 내년 1월 13일 정상 출범할 수 있도록 부산 16개 의회 의장들과 사무국 직원 합동 워크숍.

사상구 의회 의장님과 수석 전문위원이 주제 발표하고,
우리 해운대구의회 사무국 TF팀의 경과보고 후
질의 답변으로 마친 비용 zero 워크숍.

정상 출범 의회와 갈팡질팡하는 의회의 차이는
발 빠른 준비를 하고 있느냐 손 놓고 있느냐의 차이.

물이 흐르는 길이
천 가지 만 가지로 다른 것은
물 때문이 아니라

물이 흐르는 길 때문이고,

거울에 비치는 형상이
천 가지 만 가지로 다른 것은
거울 때문이 아니라

형상 때문이다.

<유선경, '꽃이 없어서 이것으로 대신합니다' 중에서>

Wonbook

 현악 5중주 앙상블 프뢰르
2021년 10월 29일

현악 5중주 앙상블 프뢰르, 10월의 어느 멋진 날의 송일도 성악가, 재즈의 4Now 공연.

Healing 하면서 가을에 흠뻑 Falling하길 염원하는 멋진 공연과 함께 한 가을의 어느 멋진 날은 바로 오늘.

우리 선수촌 밴드 7회 정기공연은 언제 하지?
맨날 이 핑계 저 핑계로 연습을 빠지는데^^;

사진은 공연 후 4Now와 함께.　　　　　　<축사 동영상 보기>

한쪽에서는

미지의 세계에 대한 불안감과 두려움이
간수의 발길처럼 저벅거리고,

다른 한쪽에서는

자유롭고 고고한 신세계에 대한 기대감이
갈매기 조나단 리빙스턴의 날개처럼
퍼득거렸다.

<이소룡 , '나도 한때 공범이었다' 중에서>

민주평통 축사
2021년 10월 19일

해운대구 제20기 민주평통 출범식 및 협의회장 이취임식.

코로나19로 대면행사가 뜸해서 오랜만에 축사를 한다.

<축사 동영상 보기>

글에 인용하는 다양한 이야기들을
어디서 발견하느냐고
묻는 사람들이 있다.

특정한 주제에 알맞은 예화를 찾는 것이 아니라
좋은 이야기나 일화를 발견하면
그것을 마음속에 잘 보관해 둔다.

그러면 머지않아
그것에 어울리는 주제가 나타난다.

우리가 삶에서 발견하는 의미도 이와 같다.
의미를 찾아다니는 것이 아니라
모든 것 속에서 의미를 발견하는 것이다.

작가는 어느 특정한 곳에 있는 소재가 아니라
모든 것과 모든 만남 속에서
글의 주제를 발견하는 사람이듯이.

<류시화, '신이 쉼표를 넣은 곳에 마침표를 찍지 말라' 중에서>

오봉산 정자
2021년 10월 17일

코로나19가 몰고 온 사회적 거리두기로, 오봉산 정자가 주민들의 사랑방이 되었다.

겨울을 앞두고 투명한 겨울옷을 한 벌 마련해 준 늘푸른 과장을 위시한 직원 여러분, 수고 많았습니다.

주민들이 너무 좋아하네요ㅎ.

말은

소통의 도구 중 하나일 뿐이다.

소통이 중국집이라면
말하기는 자장면이다.

중국집에
꼭 자장면만 있는 것이 아니듯,

소통을 위해
꼭 말을 할 필요는 없다.

<이민호, '말은 운명의 조각칼이다' 중에서>

군 의사결정자들에게 요구한다
2021년 9월 29일

실측에 참여한 부산대 전자공학과 교수와 부산전파관리소에서 나온 전문가들의 말에 따르면, 전자파 노출지수가 '1'보다 높으면 위험.

레이더 기지 주변 측정 결과 0.003~0.008 수준.

전자파가 위험 수준은 아니지만, 해운대구는 장산을 가운데 둔 인구 40만이 살고 있는 관광특구인데, 사드보다 더 강력한 레이더를 설치하기로 결정한 2017년 당시 의사결정권자들의 뇌 구조가 궁금하다.

軍의 의사결정권자들에게 요구한다.

하나,

국가안보라는 전가의 보도를 앞세워 깜깜이로 진행된
그간의 불통 레이더 설치에 대하여 해운대 주민들에
게 사과하고,

둘,

국가안보를 위해 꼭 필요하다면, 유사시를 대비해서
인적이 드문 곳에 이전 설치를 검토하라.

프레임 전쟁
2021년 9월 29일

가난한 사람들이 자신들을 위한 복지혜택을 줄이려는 극우 부자 후보에게 투표하는 이유가 궁금했는데.

몇 년 전 프레임 이론에 심취하여 관련 책들을 섭렵하면서 단숨에 읽어 내려갔던 프레임 계통의 책.

나는 진보인데 왜 보수의 말에 끌리는가?

<조지 레이코프>

조지 레이코프는 '코끼리는 생각하지 마'의 저자인데 가난한 사람들이 모순적 행동을 하는 이유는 어린 시절 가정환경 때문이라고.

사람들은 누구나 어린 시절 '엄격한 아버지'거나 '자애로운 부모' 두 가지 중 하나의 가정환경에서 양육되다 보니.

<연합뉴스 책 요약 보기>

오리일까 토끼일까?

어느 쪽이든 일단 한쪽으로 생각하기 시작하면 다른 쪽으로는 보이지 않게 된다.우리가 무언가를 보고 있다는 것은 한편으로 다른 많은 것들을 보지 않고 있다는 얘기다.

관점이 프레임을 만든다면, 관점은 우리가 사용하는 언어에 의해 알게 모르게 도입된다. 즉 어떤 어휘를 듣거나 떠올리면 그 어휘가 품고 있거나 그것에 관련된 관점이 형성되는 것이다.

<박만규, '설득언어' 중에서>

목도리
2021년 9월 15일

목은 신체기관 중 체온조절 능력이 가장 취약한 곳.

요즘 들어 자주 목이 쉬는 데 목도리 선물은 불감청이나 고소원!

존재 안으로 시나브로 스며드는 늦가을 바람을 대비해서 고향 까마귀가 보내온 목도리1과 겨울옷 소매 안으로 속절없이 비집고 들어오는 매서운 겨울바람을 대비해서 지인이 한 땀 한 땀 실로 떠서 만들어 보내온 목도리2

겨울바람은
소매 속으로 들어 오지만,

가을바람은
존재 안으로 스며든다.

정무특보단
2021년 9월 11일

이재명 후보를 지지하는 부산시 구의원들로 구성된 정무특보단 단장의 무거운 책무를 맡기로 했다.

대한민국이라는 역사의 수레바퀴가 앞을 가로막는 켜켜이 쌓인 적폐의 당랑들을 사뿐히 즈려밟고 굴러갈 수 있도록 미력한 힘을 보태 본다.

원팀 정신을 훼손하지 않으면서 최선을 다한 결과가 만족스런 것이 되길 기대해 본다

'현재'라는
거울에 비추어 본

현재와 과거의 모습이
그 사람의
미래의 모습이라면,

시대가 요구하는 지도자는,

적폐를 과감하게 청산하는 삶을
실천하면서,

살아온 사람이어야 한다.

어머니
2021년 8월 29일

구순이 넘은 노모가 일필휘지로 막내아들에게 하사하신
생일 축하 금일봉 봉투.

이순을 바라보는 막내아들이 구순 노모에게 상납한
만수무강 기원금 봉투. 노모의 봉투 두께 = 아들의 봉투 두께 * 2

'어머니'라 쓰고 '사랑'이라 읽고,
'어머니'라 쓰고 '생명'이라 읽습니다.

저녁에 가덕에서 나온 김인복이 와서 현신하므로
적의 정세를 물어보았다.

밤 이경에 면과 완
그리고 최대성, 신여윤, 박자방이 본영으로부터 왔다.

어머님이 편안하시다는 편지를 받으니
기쁘기 한이 없다.

〈이순신, '난중일기', 병신년 스무사흘 중에서〉

안전한 도시
2021년 8월 24일

작년 폭우에 침수된 꽃동네는 억수같이 내리는 비에도 아직까지 배수가 잘 되고 있지만,

세월교 아래 수영강은 비정상과 모순으로 가득한 2021년을 온 힘을 다해 넘어뜨리려는 것처럼 무섭게 소용돌이친다. 이 기세로 가면 세월교는 한 시간 안에 함락될 듯.

완전무장한 해운대구청 도시관리과 직원 덕분에 수영강이 범람해도 주민 모두 맘 편하게 오늘 하루를 마감해도 될 듯.

도시의 가장 중요한 성공 요소는

일자리
음식 문화
패션 문화
엔터테인먼트와 예술을
즐기기 쉽고,

짝을 만나기 용이하고,

치안이 좋고

자녀를 교육시키기 좋은 곳.

<브라운 스톤, '부의 인문학' 중에서>

자유
2021년 8월 16일

어제는 영화의 전당에서 조인성, 김윤석, 허준호가 출연한 영화 '모가디슈'에서 30년 전 소말리아의 수도 모가디슈를 탈출하는 스릴을 영화로 봤는데.

오늘은 아프간의 수도 카불공항 탈출의 아비규환을 리얼 다큐로 보고 있다.

자유여! <안치환, '자유' 노래 듣기>

나의 자유는

다른 사람의 자유가

시작되는 곳에서

멈춘다.

<존 스튜어트 밀, '자유론' 중에서>

자치분권의 길
2021년 7월 14일

KDLC 부산지역총회

전국 자치분권 민주 지도자 회의 부산 지역총회

자치분권의 길을 향하여. 파이팅!

<격려사 동영상 보기>

궁금한 것은

답이라기보다
이유이고,

결론이라기보다
과정입니다.

또한 이유나 과정보다 중요한 것은
질문 그 자체입니다.

<유선경, '문득 묻다3' 중에서>

부산시의회 부활 30주년 기념식
2021년 7월 9일

군부독재시대에 폐지됐다가 1991년 부활된 지방자치라서 기념식의 의미가 더 커 보인다.

부산시의회 부활 30주년 기념식에 내빈으로 초대받아 버튼 꾹 누르고 왔다.

지방자치의 단점은 보완해 나가고 장점은 살려 나가는 앞으로 30년 후의 지방의회를 위하여! 화이팅!

기회는
정기적으로 다니는 버스와 같다.

자주
늦는 편이지만

언젠가는
반드시 오기 때문에
급하게 생각할 필요 없다.

<리슈에청, '천년의 지혜' 중에서>

반여1동 청년회 창립
2021년 7월 2일

새로이 출범하는 반여 1동 청년회 창립 축하드립니다.

그동안 해운대구 전체 청년회 행사가 있을 때마다 우리 지역 청년회가 없어서 허전했는데.

코로나로 청년들이 이중고로 힘든 때 창립이라
더 의미도 있고…

<축사 동영상 보기>

자신의 현재 위치를 파악하는 질문이
가장 선행되어야 한다.

위치가 파악된 후에야
방향이 제시된다.

방향이 보이면
적절한 속도를 내면 된다.

의미를 향한 여정에서
그 순서는 위치, 방향, 그리고 속도다.

속도부터 낸다면
자칫 맹목적인 삶이 될 수 있다.

<김형철, '철학의 힘' 중에서>

항의 서한
2021년 6월 29일

미국 독립기념일인 7월 4일 미군 난동과 소란행위 방지를 위한 협약식. 의회는 미 8군 사령관과 상하원 의장, 그리고 미 대통령 에게 항의 서한을 보내려고 계획 중.

우리 의회, 구남로 상인회, 전통시장 상인회, 해운대 경찰서
4자간 협약. 상위법에서 허용된 폭죽 판매를 조례로 금지할 수도 없고. 올해는 아무 일도 없이 넘어가야 할 텐데.

테러범은

도자기 가게를 부수려는
파리와 같다.

황소 귓속에 들어가서 윙윙대기 시작하면
두려움과 분노로 미쳐 날뛰면서
도자기 가게를 부순다.

이슬람 근본주의자들은

미국이라는 황소를 자극해서
중동이라는 도자기 가게를 파괴했다.

<유발 하라리, '21세기를 위한 21가지 제언' 중에서>

조국의 시간
2021년 6월 26일

개정 지방자치법이 시행되는 내년 1월 13일 정상 출범할 수 있도록 부산 16개 의회 의장들과 사무국 직원 합동 워크숍.

사상구 의회 의장님과 수석 전문위원이 주제 발표하고,
우리 해운대구의회 사무국 TF팀의 경과보고 후
질의 답변으로 마친 비용 zero 워크숍.

정상 출범 의회와 갈팡질팡하는 의회의 차이는
발 빠른 준비를 하고 있느냐 손 놓고 있느냐의 차이.

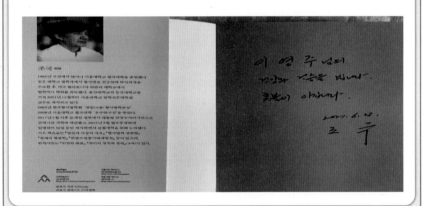

민주평통 통일교육
2021년 6월 25일

민주평통 통일교육

80년 초 군인의 길이 뭔지도 모르고 군인이 되기 위해 태릉에 있는 육군사관학교에서 생도 생활을 할 때 목이 터져라 외치던 경례 구호가 '통일'

통일을 해야 하는 이유들을 세대를 넘어 깊이 공감할 수 있어야 한다. 특히 70년을 넘게 조국의 허리가 분단된 채 살아온 젊은 세대들은 더 그렇다. 통일 후 과도기의 엄청난 혼란을 받아들이려면.

<축사 동영상 보기>

1983년 생도 2학년 시절

동백 정원
2021년 6월 24일

해변도시 해운대에 동백 정원 탄생.

김춘수의 시 '꽃'은 동백꽃. 이런 행사에는 축사로 시가 어울릴 듯.
평소 즐겨 암송하는 그의 시를 읊어본다.

너는 나에게 나는 너에게
잊혀지지 않는 하나의 의미가 되고 싶다.

<축사 동영상 보기>

내가 그의 이름을 불러 주기 전에는
그는 다만
하나의 몸짓에 지나지 않았다.

내가 그의 이름을 불러주었을 때
그는 나에게로 와서 꽃이 되었다.

내가 그의 이름을 불러 준 것처럼
나의 이 빛깔과 향기에 알맞은
누가 나의 이름을 불러 다오.

그에게로 가서 나도
그의 꽃이 되고 싶다.

우리들은 모두
무엇이 되고 싶다.

너는 나에게 나는 너에게
잊혀지지 않는 하나의
눈짓이 되고 싶다.

<김춘수, '꽃'>

지방자치 부활 토론회
2021년 6월 18일

지방자치 부활 30주년 기념 토론회.

인사권, 재정권이 없는 지방분권은 형용 모순이고 지방도 자체의
역량 강화 노력이 필요하다는 점을 피력.

"대한민국은 기재부의 나라, 재정 분권 없이는 지방자치는 요원"
하다고 내가 했던 발언을 신문의 헤드라인으로 만났을 때 기분.

<부산일보 기사 보기>

손에 들고 있는 연장이
망치밖에 없는 사람 눈에는
세상 모든 것이
튀어나온 못으로 보이는 법.

수도권중심주의 마인드로 무장한 사람들의 눈에는
수도권 밖에 안 보이는 법.

"가덕도 신공항을 고추 말리는 용도로 쓴다"는
망언이 나오는 것도
지방이 진짜로 그렇게 보이기 때문이라는
웃픈 현실.

기재부의 나라에서 벗어나
인사권과 재정권이 보장되는
성숙한 지방자치가 실현되는 그 날을
기대해 본다.

아동권리 정책 제안회
2021년 6월 16일

아동권리 정책 제안회 인사말을 실없는 퀴즈 몇 개로 시작.

도둑이 훔치는 돈을 영어로?
자가용의 반대말?
다리미가 좋아하는 음식은?

상품은 구청장의 허그ㅋㅋ.

<격려사 동영상 보기>

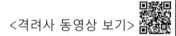

언어로 개념 지어진 후에라야
사회 현상에 대한
인식이 가능하다.

'아동의 권리'라는
언어로 개념 지어진 사회현상이

'아동권리 정책 제안회'를 통해
더욱 일반화되기를 기대해본다.

퀴즈의 정답은 슬그머니, 커용, 피자ㅋㅋ.

현충일
2021년 6월 6일

> 호국영령과 순국선열을 추모하는 현충일 조기가 걸린 집 찾기가
> 날이 갈수록 쉽지 않다.
>
> 생각이 행동을, 행동이 습관을, 습관이 인생을 만든다고 하는데.
>
> 국가를 위해 자신을 초개같이 내놓은 분들을 추모하는 弔旗가 걸
> 린 집을 찾아보기 어렵다.
>
> 현충일을 맞은 국가유공자의 유족이 얼마나 쓸쓸해할지…

모든 길은

혼을 담아
여행하기만 하면

언젠가는

진리로
데려다 준다

<류시화, '신이 쉼표를 넣은 곳에 마침표를 찍지 말라' 중에서>

생일 축하한다
2021년 6월 2일

누나는 손 편지+케익+현금

할머니, 엄마, 고모는 현금.

아빠는 생일선물로 달랑 모범 아들 상장으로 퉁 치지만.

생일 축하한다. 아들, 진짜다^^;

진정한
선물 행위는

받는 사람의 기쁨을
상상하는 기쁨이다.

그것은
자신의 길에서 빠져나와
시간을 써가면서
무언가를 고르는 것,

즉 타인을 주체로
생각하는 것이다.

〈테오도어 아도르노, '미니마 모랄리아' 중에서〉

화병으로 재탄생
2021년 5월 30일

오래전에 지인이 보내준 기프티콘으로 사 마신 스타벅스 커피 테이크 아웃 플라스틱 잔이 화병으로 재탄생.

와이프가 어머니께 갖다 드리면 좋겠다고 텃밭에 활짝 핀 나리, 섬초롱 몇 송이 꺾어 재활용 꽃병에 담았는데 예쁘다!

어제 갖다 드린 앵두 한 알 입에 물고 나리꽃 한 번 바라보고. 앵두 한 알 입에 넣으시면서 감상하시길. 화무십일홍이지만!

공감은 공명에서 온다.

공명이란 어떤 물체의 진동에너지가
다른 물체에 흡수되어
그 물체가 진동하는 것.

이때 원래 진동에너지의 진동수와
수용하는 물체의 고유 진동수가 가까우면
더욱 큰 공명효과가 있다.

<정재찬, '시를 잊은 그대에게' 중에서>

노인복지관 분관 개관
2021년 5월 27일

노인복지관 분관이 장애인 복지관 옆에 트윈 빌딩처럼 개관.

해운대 인구가 43만이 정점이었다가 2021년 4월 기준 39만 9천 명으로 40만을 하향 돌파하고 계속 감소 중. 현재 65세 이상이 17.8%이지만 2025년이 되면 초고령 사회로 진입한다고 한다.

테이프 커팅 중 찍힌 사진에 노인회 회장님보다
내가 흰머리가 더 많다ㅠㅠ

<축사 동영상 보기>

친구여,

나는 그대의 몸을 종이로
신체의 변화라는 펜으로 편지를 썼다.

그 편지를 전달한 배달부는 시간이다.

머리가 희끗해진 것이
첫 번째 편지이고,

치아가 흔들린 것이
두 번째 편지

시력이 떨어졌을 때가
세 번째 편지

몸이 마비되었을 때
네 번째 편지를 보냈는데

모두 무시했다.

<류시화, '신이 쉼표를 넣은 곳에 마침표를 찍지 말라' 중에서>

Wonbook

 돈오점수하길
2021년 5월 21일

주님선물one의 애마를 타고 서면시장에서 쑥갓 얹은 칼국수 같이 먹고 후식으로 스타벅스에서 커피 한 잔.

사랑하는 영주야, 흩날리는 깃발은 바람 때문이 아니라 네 마음이 흔들리기 때문이라는 것을 깨닫고, 작은 일에 흔들리지 않는 내공을 쌓아 돈오점수하길 아빠이자 인생의 선배로서 바라본다.

근데 오른쪽 사진은 왼쪽 사진과 달리 아빠가 너무 젊게 나오네. 필터가 좀 과하구나ㅎㅎㅎ.

투우장의 퀘렌시아는
처음부터
정해져 있는 것이 아니다.

투우사는
소와의 싸움에서 이기려면,
그 장소를 알아내어
소가 그곳으로 가지 못하게
막아야 한다.

퀘렌시아에 있을 때
소는 말할 수 없이 강해져서
쓰러뜨리는 것이
불가능하다.

<류시화, '새는 날아가면서 뒤돌아보지 않는다' 중에서>

초파일 반송 원오사
2021년 5월 19일

북한 문화 사진전 관람 겸 초파일 부처님의 가피를 받기 위해 반송 원오사로 고고.

주지스님께서 직접 도슨트 역할을 맡아 경내 야외 갤러리를 돌면서 우리 역사에 대한 해박함을 시전해 주시고, 성불사 사진 앞에서는 풍경소리가 눈앞에 그려지는 가곡 성불사 감상까지.

나 역시 헛된 욕망들을 적멸궁에 내려놓고 파죽지세의 돈오점수로 해탈하기를 소망해 본다.

색수상행식(色受想行識) 오온개공(五蘊皆空)

제법무아
(諸法無我 · Anatta)

제행무상
(諸行無常 · Anicca)

육바라밀
(六波羅蜜)

건강가정지원센터 이전 개소식
2021년 5월 10일

건강가정지원센터 이전 개소식에 틀어놓은 식전 곡 Bruno Mars의 Marry you는 오늘 행사에 딱 어울리는 곡.

Marry you와 BTS의 곡 Inner child를 소재로 가정의 역할에 대한 이야기로 축하를 드렸다.

축하드리고 활약을 기대합니다.

<축사 동영상 보기>

인간의 뇌는

1,000억 개의
신경 세포(뉴런)로 이루어져 있으며,

주변의 다른 신경세포
1,000여 개와

복잡한 시냅스를 형성하며
얽혀 있는

무게 1.4킬로의 묵직한 기관.

<정재승, '열두 발자국' 중에서>

코로나19 예방접종센터 현판식
2021년 4월 26일

코로나19 예방접종센터 현판식.

보건소장 이하 보건소 직원들과 부민병원, 해운대구 약사회, 군경, 119 등 해운대구 유관 기관의 노고에 감사드린다.

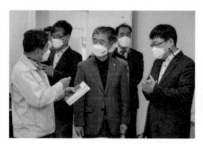

우리는

목표 지점과
원하는 결과를 향해 가느라

삶이
그 여정에서 선물하는 것들을
지나치기 일쑤다.

삶은

그 여정들로
이루어지는 것인데.

<류시화, '새는 날아 가면서 뒤돌아 보지 않는다' 중에서>

Wonbook

 지도자와 민족의 운명
2021년 3월 26일

위기가 닥쳤을 때 지도자에 따라 민족의 운명이 달라지는 것을 코로나 팬데믹을 겪으면서 직접 체험했듯이, 아무나 시장이 되면 안 된다는 것과,

오늘처럼 벚꽃이 만개한 날 버스커버스커의 벚꽃엔딩을 들으면서 김영춘 후보의 공약인 돔구장에서 롯데가 승리하는 야구 경기를 볼 수 있도록 김영춘 후보에게 기회를 달라고 주민들께 호소해 봄.

<유세 동영상 보기>

나는 야구에 대한 부산 사람들의 이상한 열광은
상당 부분 최동원에게 책임이 있다고 생각한다.

그는 죽은 후에야 비로소 재평가되었다.
그는 자신의 좋은 삶에 만족하지 않고
공동의 좋은 삶을 추구했다.
그로 인해 주류로부터 소외되었다.

내가 최동원에게 감동을 받은 것은 임종 순간이었다.
임종 직전 의식이 없는 상태에서도
그는 여전히 야구공을 쥐고 있었다고 한다.

그의 어머니가
"니가 내 아들이어서 행복했다. 이제 모든 것 내려놓고 편안히 가거라."
고 말했다고 한다.

이 말이 끝난 직후 손에 힘이 풀리면서 야구공이 바닥으로 떨어지고
최동원은 임종했다고 한다.

최동원 어머니의 방송 인터뷰 내용이다.

〈임규찬, '토끼와 빨래' 중에서〉

Wonbook

 사람중심 도시 해운대
2021년 3월 26일

그리스는 아테네가 있어서 철학이 융성할 수 있었고, 이탈리아는 피렌체 덕분에 르네상스가 가능했고, 영국은 버밍햄 덕분에 산업혁명이 가능했다는 말이 있듯이,

반여2.3동 도시재생 현장지원센터 개소식에서 반여2.3동 덕분에 우리 해운대가 진정한 사람 중심 도시로 우뚝 서길 바란다는 축사로 축하했다.

<축사 동영상 보기>

아테네가 있어서
플라톤과 아리스토텔레스의
철학이 발전했고

피렌체가 있어서
르네상스가 있었고,

영국의 버밍햄이 있어서
산업혁명이 가능했다.

<브라운 스톤, '부의 인문학' 중에서>

가덕 신공항
2021년 3월 26일

손에 들고 있는 연장이 망치밖에 없는 사람에게는 세상 모든 것이 튀어나온 못으로만 보이는 것처럼, 수도권 지상주의자들에게는 인천공항만이 유일한 공항으로 보일 수도 있으니,

2차 정책토론회를 통해서 가덕 신공항이 유라시아 시대에 필수적인 이유에 대해 수도권 주민들이 인지적 유연성을 가질 수 있도록 해주는 퀄리티 있는 토론 결과물을 만들어 주시길 희망해 본다.

<축사 동영상 보기>

우리에겐
인지적 유연성이 필요합니다.

인지적 유연성이란

상황이 바뀌었을 때
나의 전략을 바꾸는 능력을 말합니다.

가진 것이 망치뿐인 사람은
세상의 모든 문제가 못으로 보입니다.

내 앞에 놓인 모든 문제를
망치질하는 것으로 해결하려고 하죠.

그렇지만 상황이 바뀌고 문제가 바뀔 때
연장을 바꿔야 하는 건 아닌가 생각해 보는 것,
그것이 바로 인지적 유연성입니다.

<정재승, '열두 발자국' 중에서>

베이스기타의 뮤트와 말의 무덤
2021년 3월 10일

국제신문에 한 달 전 기고했던 칼럼이 오늘 활자화.

비수 같은 날카로운 말들이 날아다니는 요즘 어울리는 내용으로 칼럼을 기고했는데. 졸필이지만 한번 읽어봐 주시길.

<신문 칼럼 보기>

KOOKJE.CO.KR
[기고] 베이스기타의 뮤트와 말의 무덤 /이명원
대학가요제 세대는 밴드를 그룹사운드라고 불렀다. 그 시절 못 해봤던 밴드 활동의 아쉬움과 호기심은 늘 가슴 한 켠을 차지하고 있었는데, 우연한 기회에 음악을 좋아..

힘없는 정의는 무기력하다.
정의 없는 힘은 전제적이다.

힘없는 정의는 반격을 받는데,
왜냐하면 항상 사악한 자들이 있기 때문이다.

정의 없는 힘은 비난을 받는다.

따라서 정의와 힘을 결합해야 한다.

그리고 이를 위해서는
정당한 것이 강해지거나,
강한 것이 정당해져야 한다.

그러나 사람들은
정당한 것을 강한 것으로 만들 수 없었기 때문에
강한 것을 정당한 것으로 만들었다.

<파스칼>

<김경록, '그렇게 피의자가 된다' 서문 중에서>

동남권 관문공항 정책 토론회
2021년 2월 24일

국회 통과가 예정되어 있지만, 가덕 신공항 특별법의 조속 제정을 준비하는 동남권 관문공항 정책토론회에 참석하여 인사말을 보탰습니다.

수고하신 분들의 노고를 치하 드립니다.

<축사 동영상 보기>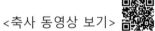

가덕도 삼행시

가. 가덕 신공항 건설을 위해서 수고하시고 애쓰시는 여러분,

덕. 덕분에!

도. 도약하는 8백만 부울경의 밝은 미래를 저는 믿습니다.
여러분도 믿습니까?

아! 백기완
2021년 2월 18일

30년도 더 전에 백기완 선생의 사자후가 내 측두엽 어딘가에 저장되어 있다가 오늘 그를 보내는 자리에서 생생하게 되살아났다.

"앞서서 나가니 산 자여 따르라", '임을 위한 행진곡'의 원작자.

빈소에 장미 한 송이 바칩니다. 훨훨 날아가시기 바랍니다.

사람의 마지막이란 삶의 들락이
꽈당하고 닫히는 게 아니다.

죽음이라는 그 마지막이 바로
새로운 삶을 열어가는 첫발임을 알아야 한다.

내 한살매란 갖은 꺾임과 온갖 깜떼로
내몰리는 썰품의 거퍼이었다.

여기서
그 꺾임과 깜떼를 도리어 먹거리로 삼질 않으면
살 수가 없었던 것이니,

여기서
무엇을 깨우쳤을까,

죽어서도 다시 사는 삶,

그거시
참짜 사람답게 사는 한살매야.

〈백기완, '사랑도 명예도 이름도 남김없이' 중에서〉

소년이 온다
2021년 2월 17일

영화 '화려한 휴가'에서 1980년 5월 계엄군에 맞서 시민들의 참여를 독려하는 거리방송을 한 배우 이요원이 맡은 배역의 실제 인물인 전옥주 씨.

고문 후유증과 트라우마로 고생하다 별세. 향년 72세.

영화에서 "광주 시민 여러분, 지금 우리 형제자매들이 죽어가고 있습니다. 여러분, 도청으로 나오셔서 우리 형제자매들을 살려주십시오."라고 방송하던 장면이 기억에 선명하다.

당신을 잃은 뒤,

우리들의 시간은
저녁이 되었습니다.

우리들의 집과 거리가
저녁이 되었습니다.

더 이상 어두워지지도,
다시 밝아지지도 않는 저녁 속에서,
우리들은 밥을 먹고 걸음을 걷고 잠을 잡니다.

당신이 죽은 뒤
장례식을 치르지 못해,

내 삶이
장례식이 되었습니다.

〈한강, '소년이 온다' 중에서〉

노모와 누님
2021년 2월 11일

대장암 고통 때문에 어쩔 수 없이 외과 수술을 해야 했던 아흔 노모 간병을 위해 휴직을 감행하고 간병한 지 1년.

직장이 있는 일본으로 출국하는 누님을 미안함과 안타까운 마음으로 배웅하는 나이 든 남매의 뒷모습 사진을 보니 내 혈육이 바로 살아있는 천사.

잠이 많은 나이인데 신새벽에 기쁘게 일어나 자신의 애마로 출국하는 고모를 공항까지 배웅해 준 주님선물 1호가 천사였고♡

노모를 간병한 지 1년.

규정상 휴직을 1년 이상 할 수 없어
직장이 있는 일본으로 출국하는 누님.

미안함과 안타까운 마음으로
말없이
공항까지 배웅한다.

천사를 본 적이 있나요?

누이가 바로
살아있는 천사.

하느님은
모든 곳에 계실 수가 없어서
어머니를 만드셨다.

다음 명절에 만나자
2021년 2월 6일

페친 여러분,

사회적 거리두기 잘 하시고, 개인위생수칙 잘 지켜서 신축년 새해 복 많~이 받으세요!

현수막 비용 절감을 위해 친한 동생하고 직접 명절 현수막을 설치했는데, 그중 한 곳은 장산중 사거리에 설치. 올해 중학교를 졸업한 우리 아들하고 딸이 도와줘서 깔끔하게 설치 완료.

마무리 인증샷 후 밀면 곱빼기로 퉁.

또 하루 멀어져 간다.
내뿜은 담배연기처럼
작기만 한 내 기억 속엔
무얼 채워 살고 있는지

점점 더 멀어져 간다.
머물러 있는 청춘인 줄 알았는데
비어가는 내 가슴속엔
더 아무것도 찾을 수 없네

계절은 다시 돌아오지만
떠나간 내 사랑은 어디에
내가 떠나 보낸 것도 아닌데
내가 떠나온 것도 아닌데

조금씩 잊혀져 간다
머물러 있는 사랑인 줄 알았는데
또 하루 멀어져 간다
매일 이별하며 살고 있구나
매일 이별하며 살고 있구나

<김광석, '서른 즈음에'>

Wonbook

 선별검사소 격려방문
2021년 1월 12일

구청 공무원, 보건소 직원, 부민병원 파견 인력으로 운영하는 (구) 해운대 驛舍 앞 임시 선별검사소 격려 방문.

집에 돌아가면 다 아빠 엄마고 딸 아들인데. 모두 건강하게 근무를 마치기를 빈다.

춥다. 날씨가 풀렸는데도.

조그만 격려품이지만 따뜻한 맘이 전해졌기를♡

전염병의 연대기

6세기 유스티니아누스의 전염병은 당시 인구의 절반인
5천만 명 사망,

14세기 흑사병은 세계 인구의 3분의 1인
2억 명 사망,

18세기 천연두는 백신 개발에도 불구하고
3억 명 사망,

그 후 메르스, 사스, 에볼라, 신종플루 등이 있었고,

1918년 인플루엔자 전염병으로 약 1억 명 사망했는데,
이는 제 1차 세계대전 사망자 수를 능가.

아직 백신이 없는 에이즈는 매일 7천 5백만 명 감염.

<박영숙, 제롬 글렌, '세계미래보고서 2021' 중에서>

Wonbook

언론
2021년 1월 4일

우리 의회는 국외연수 예산을 선제적으로 미편성한 덕분에 언론의 십자포화를 피했지만, 예산 특성상 불용을 염두에 두고 예년에 준해 편성해 놓았을 텐데 도매금으로 다 넘어간다.

매년 기초의회의 국외연수비만 연례행사로 두들겨 맞는다.

큰 고기들은 다 빠져나가 버리고 피레미들만 언론의 성긴 천라지망에 잡혀 푸드덕거리는 모습이 안타깝다.

<부산일보 기사 보기>

국민투표와 선거는

언제나 인간의 느낌에 관한 것이지
이성적 판단에 관한 것이 아니다.

만약 민주주의가 이성적 의사결정의 문제라면
모든 사람에게
동등한 투표권을 줘야 할 이유가 없다.

어떤 사람은 다른 사람보다
훨씬 더 박식하고 이성적이라는
증거는 충분하다.

경제나 정치에 관한
구체적인 질문에 관한 한 더 그렇다.

<유발 하라리, '21세기를 위한 21가지 제안' 중에서>

2020

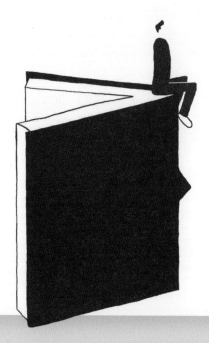

반여삼어교 개통
2020년 12월 31일

수영강 때문에 이산가족이 된 반여1동과 반여4동을 연결하는 교량이 2020년의 마지막 날인 31일 0시를 기해 개통.

만조일 때 비가 많이 내리면 세월교는 상습적으로 침수되어 교통통제를 하는 바람에 그동안 불편을 참는다고 수고 많았습니다.

반여동을 상전벽해로 만들 연결교량 반여삼어교 개통까지 음으로 양으로 수고하신 모든 분들께 감사드립니다.

GOOGLE.COM

이미지: 부산 수영강 횡단도로 31일 개통... 수영강변대로~삼어로 연결 < 사회 ...

어쩌면 우리는
마침표 하나 찍기 위해 사는지 모른다.

<황규관, '마침표 하나' 중에서>

마침표 찍힌 문장
저마다
존재 이유와 역할이 있듯,

크든 작든,
잘났든 못났든,
모든 마지막은 눈물겹습니다.

마지막은 패배가 아니라
맺음이지요.

<정재찬, '그대를 듣는다' 중에서>

지방자치법 개정 결의안
2020년 12월 4일

지방자치법 개정안이 12월 9일 본 회의에서 무사통과되기를 희망하면서 결의안 채택.

의회사무국 직원 인사권을 단체장이 갖고 있는 불합리한 점을 개정하고, 보좌관 점진적 배치, 후원회 결성 등 지방의회 30년 역사상 전면 개정하는 거라서 의미가 더 크다.

법령 개정 등 제도적 보완을 통해 전국 지방의회가 좀 더 성숙해지는 계기가 되길 희망해 본다.

결의안

결의안은 법과 동일한 자격을 갖고 있고, 대외적으로 의회의 의지를 보여줄 때 활용.

법으로 목적을 달성할 수 없을 때 주의 환기, 여론조성, 대외 의사전달 등의 효과가 있다.

결의안은 법률안과 동일하기 때문에 법률의 제정, 개정 절차와 동일하다. 대표발의 1인을 포함 7인 이상 서명으로 발의할 수 있다.

*발의의 '의(議)'는 아젠다(의제)를 의미.
*본회의 통과 전까지는 법률(안). 이 법률(안)이 '의안'.
*발의는 조건을 갖춰 의안을 제출한다는 의미.

뉴노멀
2020년 11월 27일

광폭행보를 하는 디지털 트랜스포메이션Transformation이 가져올 미래의 뉴 노멀.

철학자 헤겔은
'미네르바의 부엉이는 황혼녘에야 날아간다'고 했고,
지혜는 어둠 속에서 필요한데

디지털의 미래가 어떻게 전개될지 모르는데
미네르바의 부엉이는 날아가고 있는가?   <축사 동영상 보기>

코로나 전에도

인류는 Digital transformation이라는 문명교체로
혁명적 변화의 시기에 살고 있었다.

인류의 생활공간은
디지털 플랫폼으로 옮겨가고 있었고

기존의 문명과 디지털 문명이
힘겨루기 하는 모양새였다.

<최재붕, '포노 사피엔스' 중에서>

수료식
2020년 11월 10일

분권혁신운동본부, 부산지방변호사회, 부산시 구군의장협의회 세 단체가 지방자치 역량 강화를 위해 도원결의하고 나서 세 번째 수료식.

대학 졸업을 못한 스티브 잡스가 스탠퍼드 대학 졸업생들에게 했던 축사처럼, 아카데미 수료도 못한 입장에서 미래의 선배들이 될 수료하신 분께 축사를 했다.

코로나 역경을 이겨내고 수료하신 모든 분들 축하드리고, 바쁜 의정 활동 중에 수료해 내신 동료 의원 세 분 수고 많았습니다.

50년 전에서 내다볼 때,
현재는 SF소설의 시대였다.

현재로부터 50년 후를
떠올려 보라.

무엇이 달라졌고,
무엇이
지금과 똑같은가?

<루 해리, '크리에이티브 블록' 중에서>

리버크루즈 운항 개시
2020년 11월 10일

리버크루즈 운항 개시.

영화의 전당 맞은편 수영강에 조그만 유람선이 크루즈라는 이름을 걸고 운항을 시작했다.

안전운항을 주문하면서 관광특구 해운대의 새로운 랜드마크로 성장하길 빌어본다.

운명의 여신 포르투나가
당신의 바퀴를 아래로 돌릴 때는

나가서 영화나 보고

되도록이면
삶을 회피하라.

이그네이셔스는
속으로 막 이렇게 말하려던 참이었다.

하지만 곧
자기가 거의 매일 밤
영화를 보러 왔다는 사실이 떠올랐다.

포르투나가
바퀴를
어느 쪽으로 돌리든 상관없이.

〈존 케네디 툴, '바보들의 결탁' 중에서〉

반여고 씨름 단체전 우승
2020년 11월 10일

반여고등학교가 57회 대통령기 전국장사 씨름대회 단체전에서
우승을 거머쥐었다.

김교진 선생님, 박상규 감독님 수고 많았습니다.

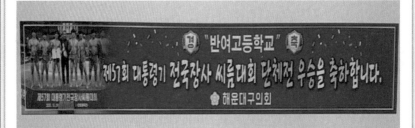

148

수고(愁苦)란 곡식(天)을 생각하고,
마음(心)의 불(火)을 생각하니 답답하다.

벼(禾)를 쌓아 둔 창고,
가을 결실에 불이 나니
마음이 얼마나 괴로운가.

들판(草)에 누워
옛날(古)을 생각하며
미래를 도모한다.

이것이 수고다.

수고(苦)란
고통(通)이 아니고 극복(克)을 의미한다.

"수고하세요!"

우리는
너무 쉽게 수고를 말한다.

어려운 세상

"수고하세요!"

희망(望)이 담긴 따뜻한 말이다.

〈하태영, '하마의 하품2' 중에서〉

입술 부르트다
2020년 11월 1일

며칠 전부터 입술이 지려고 하더니 결국 부풀어 올랐다.

'입술지다'가 사투리인 듯 헷갈리지만 '(어디에) 주름지다/얼룩지다/흉지다' 등과 같이 쓰인 표준어가 맞을 듯한데…

자신있게 '입술지다'는 표현을 써도 될 듯!

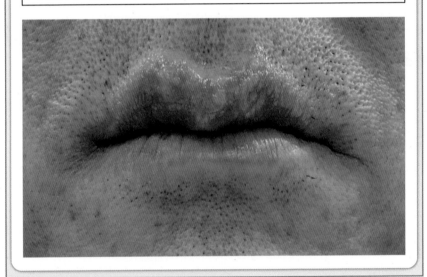

잠이 부족하면

알츠하이머 유발 물질로 알려진
베타 아밀로이드 단백질이
뇌에 쌓여서

기억력이 감퇴하고

치매 위험이 높아짐.

<유선경, '문득, 묻다 2' 중에서>

다례제
2020년 10월 27일

제25회 해운 최치원 선생 추념 헌공 다례제

해운대는 최치원 선생의 호를 따서 이름 지었다고 한다. 문장가였고 유불선에 조예가 깊었으나 신분제 벽에 가로막혀 자신의 뜻을 펼쳐 보이지 못한 6두품 출신의 학자.

자극적인 커피와 달리 차를 두고 어느 여류 소설가는 <차는 액체로 된 지혜>라고도 한다. 액체로 된 지혜의 문화를 전승 발전시킨다는 점에서 오늘 행사는 더 큰 의미가 있을 듯.

<출처, http://cheolani.iisweb.co.kr/>

제8대 전반기 발자취
2020년 10월 27일

'제8대 전반기 발자취'라는 제목으로 의정백서 발간.

부산시 의장협의회 역사상 처음으로 발간하는 의정백서 덕분에 더위가 시작되는 7월부터 수고한 손지영 양과 김병수, 김용진 주무관을 비롯한 각 의회 직원들의 노고에 감사드린다.

8대 전반기 의정 활동을 기록으로 남긴다는 의미와 함께 동료 의원들이 상반기 의정 활동을 돌아보는 계기가 되기를 희망한다.

제8대
전반기
발자취

부산광역시 구·군의회 의장협의회

종이 없는 의회
2020년 6월 9일

우리 혼자 종이 없는 의회(paperless council) 한다고 아마존 열대 우림 파괴를 막기는 어렵겠지만,

해운대구의회부터 꽃 피워 풀밭을 꽃밭으로 만들고,

해운대구의회부터 물들어 전국 226개 기초의회가 종이 없는 의회가 되도록 하고 싶습니다.

<보도 동영상 보기>

나 하나 꽃 피어
풀밭이 달라지겠냐고
말하지 말아라

네가 꽃 피고
나도 꽃 피면

결국 풀밭이 온통
꽃밭이 되는 것 아니겠느냐

나 하나 물들어
산이 달라지겠냐고
말하지 말아라

내가 물들고
너도 물들면

결국 온 산이 활활
타오르는 것 아니겠느냐.

<조동하, '나 하나 꽃 피어'>

울엄마
2020년 6월1일

재난지원금으로 손자 생일 저녁을 거하게 쏘시고, 좌청룡 우백호에 의지해서 휘적휘적 걷는 울 엄마.

울 엄마, 지금 내 나이 때는 새벽이면 한달음에 뒷산에 올라 한겨울에도 찬물에 샤워하고, 길어온 약수로 밥 지어 식구들 챙길 만큼 건강하셨는데.

어머니, 행복하신지요! 제 등에 업혀 진짜 꽃구경 가요!

부처는
우주의 세 가지 기본 현실을 설파했다.

모든 것은 끊임없이 변하며,
지속적인 본질이란 없으며,
완전히 만족스러운 것도 없다.

우리는 몸과 마음,
은하계의 가장 먼 곳까지
탐사할 수 있다.

하지만 변하지 않는 것,
영원한 본질을 지닌 것,
우리를 완전히 만족시킬 것은
결코 만날 수 없을 것이다.

<유발 하라리, '21세기를 위한 21가지 제언' 중에서>

기분 째지겠다
2020년 5월31일

동주 탄신 주간 이브!

가족들이 각자 준비한 생일선물 꾸러미에는 표창장, 현금이 가득 들어 있는 황금 총 돈다발.

누나가 준비한 돈이 든 황금 총을 맞고 돈 송이 위에 쓰러진 기분. 그야말로 째지겠다.

삶을 뜻하는 생(生)은
소 우(牛)와 한 일(一) 자가 합쳐진 것으로
소가 외나무 다리를 건너는 형국이다.

소가 외나무 다리를 걸어가는 것은
위기의 연속이라는 뜻이다.

되돌아갈 수도 없고,
뜻밖의 함정이나 장애물을 만나더라도 아슬아슬하고
때로는 두렵기만 하지만
건너야만 한다.

사람 인(人)자는
두 사람이 서로 기대고 서 있는 형상이다.

서로 기대고 격려하면서
돌아올 수 없는 외다리를 함께 건너가는 것이
'인생(人生)'인 것이다.

<작자 미상>

술 안 먹어
2020년 5월30일

금주를 하려고 합니다. 살면서 두 번 기한을 정해놓고 금주를 한 적이 있는데 한 번은 성공, 한 번은 실패.

유쾌한 술자리는 슬픔을 잊게 해주고, 기쁜 일은 두 배로 만들어 주는 장점이 있지만, 숨 가쁘게 살아온 자신을 한번 돌아보고, 사랑하는 사람을 위해 건강도 챙기려고 합니다.

정례회가 시작되는 6월 8일부터 9월 15일까지 100일 동안입니다. 성공적인 금주를 위해 페친 여러분의 많은 협조 바랍니다.

술 마시는 시간을
낭비하는 시간이라고
생각하지 말라.

그 시간에
당신의 마음은
쉬고 있으니까.

<탈무드>

날 취하게 하는 데는
딱 한 잔이면 족하다.

근데 문제는
이게 13번째 잔인지 14번째 잔인지
기억이 안 난다는 것이다.

<조지 번스(미국 코메디언)>

화중지왕
2020년 5월 7일

베란다 앞 텃밭은 며칠 전 임종한 모란 때문에 목하 상중(喪中).

임종해버린 모란을 그리워하는 상주는 5월의 꽃 수국, 나리꽃, 매발톱. 이들이 걸치고 있는 상복이 화려하다 못해 눈이 시리다.

고스톱을 칠 때 청단 3점을 내려면 꼭 필요한 목단은 시인 김영랑이 '모란이 뚝뚝 떨어져 버린 날, 봄을 여읜 설움에 잠기고, 모란이 지는 순간 한 해가 다 간 것 같아 일 년 365일 섭섭해 운다'는 모란과 같은 꽃이라는 사실.

우리나라 꽃 무궁화는
꽃 중의 꽃
화중화

모란은 꽃 중의 왕
화중지왕

김영랑의 눈에는
모란밖에 보이지 않은 듯

내 눈에는
모란이 떨어져 버리고 난 옆에서
아침 햇살을 비스듬히 받으면서 기지개를 켜고 있는
나리꽃, 수국, 매발톱도
보이는데ㅎ

화중지왕님,
내년에 다시 만납시다.

레시피
2020년 5월5일

페친이 공유해 준 레시피로 가족 구성원 모두 자신에게 부여된 작은 임무를 성실히 소화한 결과물. 열무(청방) 김치.

13L 병에 소금물 5L, 밀가루풀물 먼저 투하하고 농산물 시장에서 사 온 신선한 야채를 천일염에 1시간 정도 절임. 생수로 씻어놓은 풀 죽은 열무 1/2 투입. 준비해 놓은 무, 잔파, 양파를 넣고, 홍초, 땡초, 생강, 마늘, 사과, 배 갈아서 1/2 투하. 남겨놓은 나머지 열무 투입 후 남겨놓은 양념 전량 투입. 마지막으로 까나리액젓을 인심좋게 가득 투하. 끝.

여왕은 힘 있게 망토를 벗어젖히고, 앞치마를 둘렀어.
그리고 항아리에 물을 부었지.

"자, 펄펄 끓는 물에 상어 간에서 뽑은 기름 세 방울을
떨어뜨리고, 말린 용비늘 두 조각, 새우 똥과 고래 코
딱지, 그리고 바다 바퀴벌레 수염 한 가닥!"

여왕은 항아리에 갖가지 재료를 정성스럽게 넣었어.

"마지막으로 촉수 진액 한 방울!"

여왕은 손으로 바람을 일으키며 냄새를 맡았어.

"딱 좋아!"

〈박미라, '금슬이 열쇠를 찾아라' 중에서〉

재난지원금
2020년 5월 5일

문재인 정부의 <소득주도성장>정책과 코로나로 인한 <재난지원금>의 경제학적 근거는 케인즈의 <유효수효이론>. 국민 경제 전체적으로 소비확장을 통한 국민경제 활성화가 목적.

<저소득층 생활지원금>과 <소상공인 지원금>은 그야말로 골든타임 상황에 놓여진 저소득층과 소상공인을 지원하기 위한 방안이고 나이, 소득 상관없이 지원하는 재난 지원금은 타이밍을 놓치지 말고 소비를 촉진하여 거시적 경제효과를 내기 위한 것.

기부릴레이 운동은 명분은 좋지만, 정책 효과를 내기 위한 <소비의 골든타임>을 놓치게 하는 것이 아닌지 걱정된다. 나보다 못한 사람들을 위한 기부운동을 반대하기 어려운 분위기 속에서, 정책 효과를 위해 재난지원금을 수령해서 빨리 소비했다가는 욕을 들을 것이 분명해 보이고, 그렇다고 모른 척 생색내면서 기부하는 것도 아닌 것 같고.

우리 의회가 집행부에 1차 추경을 과감하게 앞당기도록 요구해서 4월 초에 추경편성을 하게 된 것이나, 소속의원 만장일치로 예산 금액이 큰 국외연수비와 상반기 국내연수비를 1차 추경에서 즉시 반납한 것은 재난지원 골든타임이라고 판단했기 때문.

케인즈는
'구성의 모순'으로 '절약의 역설'을 설명

개인이 아껴 쓰는 것이 합리적일 수 있지만

전체적으로 소비가 발생하지 않으면

불황이 오게 되어

전체가 공멸의 위험에 빠질 수 있다.

<최진기, '4차 산업혁명' 중에서>

구성의 모순
개별적으로 성립하는 논리가 전체적으로도
성립할 것이라고 추론한 데서 발생하는 오류.

데자뷰
2020년 5월 3일

1. 시대: 1519년, 2019년
2. 주연 : 조광조, 조국
3. 프레임 : 주초위왕, 표창장 위조와 사모펀드
4. 정국 : 중종반정 후 훈구파 득세, 박통 탄핵 후 문재인 정부
5. 여론조작 : 후궁, 기득 수구언론
6. 개혁목표 : 위훈삭제, 검찰 개혁
7. 이념 : 성리학, IT 강국
8. 결과 : 멸문지화, 본인 불구속 재판, 처와 동생 구속 재판, 아들
   딸 아빠 찬스 활용한 파렴치범 프레임에 갇힘. 데쟈뷰!

어떻게 사느냐는

그 다음 문제다.

가치로서의 인생보다
존재로서의 인생이
우선이라고 생각하면

범사에 감사해질 것이다.

<현진, '오늘이 전부다' 중에서>

Wonbook

 자신의 갇힌 프레임
2020년 5월 2일

자신의 주관적 편견에 '합리적 의심'이라는 위상을 부여하는 것이
잘못이라는 사실을 깨닫지 못하는 사람들이 적지 않고,

'이성은 감정의 노예'라는 말처럼
이미 감정적으로 아니라고 결론 내린 사람이나 상황은
그 사람이나 상황에 대한 판단의 근거가 잘못된 것을
나중에 인식하게 되더라도,

결론을 번복하고
마음으로 받아들일 만큼 오픈 마인드인 사람도
생각보다 드물다.

프레임의 진위 여부와는 관계없이
자신이 갇힌 프레임에서 벗어나기 어려운 법.

<페친 글 보러 가기>

사고의 선행 요소들이

자신도 모르게
어떤 관점을 형성해 놓고

우리의 생각을
그 관점에 따라

일정한 방향으로 유도한다.

<박만규, '설득언어' 중에서>

사고의 선행 요소
종교, 신념, 이데올로기, 미신, 징크스, 고정관념,
선입견, 편견, 이미지, 트라우마, 성격 등

예산 반납
2020년 4월 2일

국내외 연수비뿐만 아니라 의장단 업무추진비와 기타 소모성 경비를 좀 더 절감하여 예산을 반납하기로 함. 예산을 연말까지 집행하지 않으면 불용 처리되어 다음 해로 이월되지만, 추경에 삭감하게 되면 삭감액을 올해 바로 사용할 수 있게 됩니다.

사소한 말 한마디가 사람을 죽이기도 하고 살리기도 하듯이, 적은 금액이지만 때를 놓치지 않고 사람을 살리는 데 이용되기를 기대합니다.

<KBS 뉴스 보기>

TV.NAVER.COM
해운대구의회, 연수비 반납...재난 지원 예산 활용
KBS뉴스 | [KBS 부산] 해운대구의회는 올해 의원 국외연수 예산 1억...

해운대구의회, 2021년 국외연수비를 없애다

해운대구의회 회의 모습(가운데가 이명원 의장이다)

해운대구의회는 2021년 예산에서 의회의 국외연수비를 아예 편성조차 하지 않았다. 코로나19가 내년 안에 종식되기는 힘들고, 거기다가 우리나라는 K방역 덕분에 이 정도이지만 미국이나 유럽 등 외국의 상황은 아주 심각한 수준이기 때문이다. 그래서 내년 국외연수는 사실상 실시하기 어렵다고 판단하여 전체 의원들의 동의로 결정했다는 것이다.

전국 226개 지방자치단체 중에서 이런 결정을 내린 곳은 해운대구의회를 제외하고는 찾아보기 어렵다. 대부분 관례적으로 작년 수준의 국외연수비를 편성하거나 심지어 물가 인상율을 반영하여 증액 편성한 곳도 눈에 띈다.

관행적으로 편성해오던 의회 국외연수

비를 내년도 세출예산에 편성을 하지 않은 3가지 이유는

첫째, 코로나로 인한 경기 침체로 소상공인과 사회 취약계층들의 사정이 어려운 엄중한 시기에 실시하는 외국 연수는 주민들의 눈높이에도 맞지 않고

둘째, 코로나로 인해 국외연수 예산은

목적대로 쓰지도 못하면서 시급한 민생지출에 집행하지도 못하게 되고

셋째, 언제가 될지는 알 수 없지만 코로나19가 전 세계적으로 안정되고 국외연수가 꼭 필요하게 되면 그때는 추경이라는 예산 제도를 이용하여 국외연수 예산을 편성할 수도 있기 때문으로 밝혀졌다.

이런 결정을 내린 중심에는 이명원 의장이 있다. 이명원 의장은 30년 해운대구의회 역사상 처음으로 여야 합의로 아무런 잡음없이 전후반기 의장을 연임하고 있고, 부산시 구군의장협의회 의장도 전후반기를 연임하는 등 리더십을 인정받고 있다. 3선의 이명원 의장을 필두로 해운대구의회가 주민들을 먼저 생각하고 그 생각을 행동으로 옮긴, 작지만 큰 결정에 대해 해운대구 주민의 한 사람으로서 참 고맙다.

지금껏 관행처럼 익숙해진 관례를 잘라버리고 변화를 고민하는 해운대구의회의 모범적인 모습을 본받아, 예산은 공무원들의 쌈짓돈이 아니라 주민들의 혈세라는 것을 해운대구 공무원들은 늘 염두에 두길 바란다. 그리하여 관변보다는 주민들에게 실질적인 도움이 되는 예산 편성을 위해 고민해 주기를 기대해본다.

/ 신병호 편집위원

2019

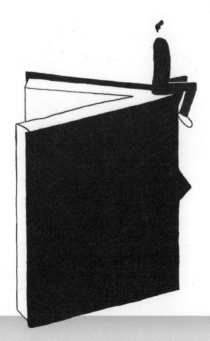

의정동우회 선배와의 대화
2019년 11월 20일

의정동우회 선배와의 대화.

작년 선배 의장님들과 오찬 간담회를 하고 나서 가지려고 했는데 차일피일하다 보니 만남의 시간이 좀 늦어졌다.

행안부 지침에 따라 의정 동우회에 예산 지원을 할 수 없게 되어 사무실과 소소한 지원을 일절 할 수 없게 되어 미안하던 차에 사정을 자세히 말씀드리고 소통할 수 있는 좋은 시간이었다.

앞으로도 선배님들을 잘 모시도록 하겠습니다.

살면서 듣게 될까 언젠가는
바람의 노래를

세월 가면 그때는 알게 될까
꽃이 지는 이유를

나를 떠난 사람들과
만나게 될 또 다른 사람들

스쳐 가는 인연과 그리움은
어느 곳으로 가는가

나의 작은 지혜로는 알 수가 없네
내가 아는 건 살아가는 방법 뿐이야

보다 많은 실패와 고뇌의 시간이
비켜 갈 수 없다는 걸 우린 깨달았네.

이제 그 해답이 사랑이라면
나는 이 세상 모든 것들을 사랑하겠네

<조용필 '바람의 노래' 노래 듣기>

해운대구 장산복지관
2019년 11월 6일

<인사말 전문 보기>

스피치 관련 초고를 출판사에 넘겼지만, 인사말 실전 사례는 계속 가필해 나갈 생각이다.

해운대구 장산복지관 관장 이취임식이 있었다. 공식 초청이 없는 상태에서 편한 마음으로 참석을 했는데, 시나리오에는 이미 의장의 축사가 들어 있었다.

이임사, 취임사, 축사에 이은 네 번째 순서라서 웃음과 박수를 유도하면서 청중들을 몰입시키지 않으면 자칫 따분하고 지루한 인사말이 될 수도 있다.

불시에 축사 요청이 들어올지 모르기 때문에 이런 행사에 참석할 때는 대강 준비는 하지만, 내 순서가 될 때까지 핸드폰 메모장에 저장된 인사말거리를 몇 개 더 찾아보니,

우선, 조그만 복지관 관장의 이취임식에 보기 드물게 전직 장관이 참석했다. 전 장관을 거명함으로써 행사의 격을 올려주는 것이 좋을 듯하고,

둘째, 해운대구가 부동산조정지역에서 해제된다는 정부의 공식 발표가 있은 기분 좋은 날이고,

셋째, 참석한 청중 대다수가 연세가 높은 어르신들이라, 저자의 아버지가 정년퇴임을 할 때 아들로서 느꼈던 아쉬움과 안타까운 마음을 쉽게 공유할 수 있을 것이고,

넷째, 이임 관장의 성함 '복휘'가 평소 발음하기 쉽지 않았는데, 행사장 정면 현수막을 무심코 보는데 떠오른 이름으로 우스개 이야기를 해서 청중들의 웃음을 유도하는 것도 괜찮겠고,

다섯째, 앞선 연사가 이임 관장의 작은 키를 언급해서 청중이 웃었기 때문에 저자도 이임 관장의 키를 웃음을 유도하는 소재로 써도 될 듯.

여섯째, 저자의 스마트폰 노트에 들어 있는 '사생대회' 이야기를 조금 각색해서 임기 동안 1등 관장이었다는 스토리로 각색하면 딱 어울리는 스토리가 될 듯.

북콘서트
2019년 11월 5일

두 번째 책 출판을 앞두고 있다 보니 떡 본 김에 제사 지낸다고, 앞으로도 자판을 두드릴 힘이 있는 한 계속 책을 쓰려고 한다.

삼삼오오 모여 이야기할 때는 조리 있게 말을 잘해도, 남들 앞에만 서면 왠지 작아지는 장애를 이겨낸 성공 스토리의 엑기스라고나 할까!

대중 앞에서 말하는 것을 힘들어하고, 결국 잘 해내지 못한 경험이 트라우마가 되어 더욱더 위축되던 경험을 가진 과거의 나 같은 사람들에게 실전 경험에서 얻은 <사람에 대한 작은 철학>을 공유하고자 자판을 두드리게 되었다.

페친 여러분, 날짜가 정해지면 알려드리겠습니다. 시간 나시면 오셔서 Book과 Music이 있는 북콘서트와 함께 한 해를 같이 보내면 좋겠습니다.

11월을 인생의 초겨울이라고 하더니 오늘 아침은 제법 차네요. 건강 조심하세요!

참! 책 제목은 뭐가 좋을까요?

두 번째 책을 준비하다가 자판 두드릴 힘이 있는 한 책을 계속 쓰기로 마음 먹은 무엇보다도 가장 큰 이유는,

사랑하는 아이들에게 아빠의 흔적을 유산으로 남기고 싶은 욕심이 생겼기 때문이다.

돈에 대한 감수성이 좋지 못해 아이들에게 돈을 많이 남겨주지 못하는 미안함에 대한 보상 심리와,

생전 치열하고 '차카게' 살았던 아빠의 삶이 녹아 있는 책을 갖고 있으면,

삶이 힘들어 아빠가 생각날 땐
아빠를 보듯이 힘을 내고,

삶이 기쁠 땐
마음 속의 아빠와 기쁨을 두 배로 만들고,

아빠보다 더 겸손하고,
아빠보다 더 '차카고' 멋진 삶을 살아내는 데
도움이 될 수도 있을 것이기 때문이다.

혹시 그 중에 인세라도 조금 입금이 되는 책이라도 있으면 얼마나 좋을까 마는^^;

엄마가 딸에게
2019년 10월 28일

제6회 선수촌밴드 정기공연에는 밴드의 양해 속에 우리 가족이 까메오로 총출동해서 양희은의 '엄마가 딸에게'를 한 곡 했다.

작년까지 드럼으로 공연에 참여했던 아들은 1st 기타로 새로 데뷔했고, 원년 키보드 멤버인 큰아이는 이번에도 키보드로, 나는 베이스 기타로 와이프는 보컬로.

어느 가수의 노랫말처럼 '인생은 늙어 가는 것이 아니라 익어가는 것'에 한 표. 바쁘신 중에 격려하고 축하해 주신 모든 분께

머리 숙여 감사드립니다. 꾸벅.

난 잠시 눈을 붙인 줄만 알았는데, 벌써 늙어 있었고
넌 항상 어린 아이일 줄만 알았는데, 벌써 어른이 다 되었고
난 삶에 대해 아직도 잘 모르기에, 너에게 해줄 말이 없지만
네가 좀 더 행복해지기를 원하는 마음에
내 가슴 속을 뒤져 할 말을 찾지

공부해라, 아냐 그건 너무 교과서야
성실해라, 나도 그러지 못했잖아
사랑해라, 아냐 그건 너무 어려워
너의 삶을 살아라!

난 한참 세상 살았는 줄만 알았는데, 아직 열다섯이고
난 항상 예쁜 딸로 머물고 싶었지만, 이미 미운 털이 박혔고
난 삶에 대해 아직도 잘 모르기에, 알고 픈 일들 정말 많지만
엄만 또 늘 같은 말만 되풀이하며
내 마음의 문을 더 굳게 닫지

공부해라, 그게 중요한 건 나도 알아
성실해라, 나도 애쓰고 있잖아요
사랑해라, 더는 상처받고 싶지 않아
나의 삶을 살게 해줘!

<양희은, '엄마가 딸에게' 노래 듣기>

스피치 4.0
2019년 5월 26일

가족 자유여행을 기록으로 남긴 기행문 '이명원 가족의 28일간 유럽여행'을 출판 후 두 번째 책을 집필 중입니다.

이번에는 스피치에 대한 생각을 적은 책입니다. "본인이 스피치의 달인도 아니면서 어떻게?" 라고 생각할 수도 있겠지만 교학상장이라는 말이 있듯이 책을 준비하면서 저 자신에게도 도움이 될 것으로 생각하고 책을 낼 결심을 하게 됐습니다.

사람들은 스피치를 테크닉으로만 알고 있는 경우가 많고 시중에 나와있는 책들도 테크닉에 대한 방법서들이 대부분입니다.

그렇지만 그 순간만을 모면하려는 사람이 아니고 청중들에게 조그마한 감흥이라도 남기고 싶다면, 청중과의 교감이 없는 테크닉 위주의 스피치는 시간 때우기에 불과한 무의미한 시간 낭비가 되고 맙니다.

스피치가 끝나고 난 이후에도 여운을 남길 수 있는 스피치에 대한 책이 될 겁니다. 부디 이 책이 세상의 빛을 볼 수 있기를 바랍니다.

스피치 4.0
이명원 출판기념회

2020년 1월 7일 화요일 오후 5시
해운대문화복합센터
(부산광역시 해운대구 센텀중앙로 170)

케익과 편지
2019년 5월 13일

늦게 도착한 어버이날 케익.

　　　　　수욕정 풍부지

　　　　자욕양 친부대.

고맙다. 너희들이 있어서 반환점을 지난 소풍이 행복하구나!

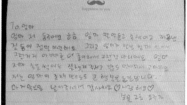

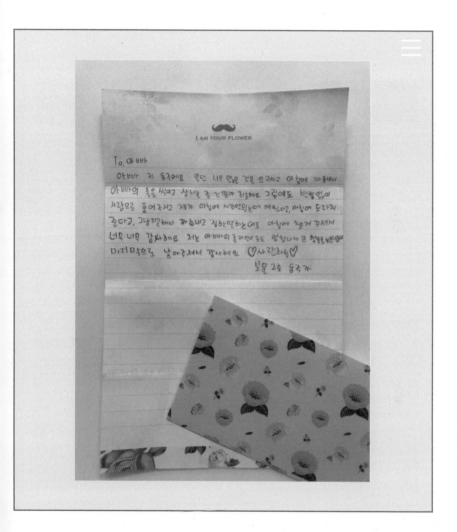

189

심폐소생술 심화과정 수료
2019년 5월 9일

심폐소생술 심화과정 수료.

내가 앞으로 생사의 기로에 있는 사람을 발견할 확률(P1)에 그 사람을 심폐소생술로 살아나게 할 확률(P2)을 곱하면?

아직까지 한 번도 맞닥뜨린 적이 없기 때문에 앞으로 그런 상황이 생길 확률은 제로보다 크고(P1>0),

심화과정을 수료했기 때문에 그 사람을 살릴 수 있는 확률도 제로보다 클 듯(P2>0).   P1 * P2 > 0

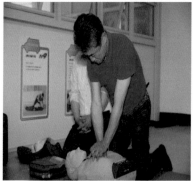

13층
욱이
엄마는
광고판만 보고

12층 아저씨는
휴대전화만 보고

7층 누나는 거울만 보고

딩동 5층입니다. 아줌마, 안녕하세요?
아저씨, 안녕하세요? 언니, 나 유치원 가

여섯 살 민아가 마음 문을 딩동딩동 열고 들어옵니다.

〈김자미, '엘리베이터 안에서'〉

바보
2019년 5월 1일

동생 바보와 누나 바보.

조카 결혼식 부조 접수하면서 찍은 한 컷.

내 몸속 여성호르몬이 분탕질 치는가 보다^^;

살면서 힘들 때
서로 양보하고 의지할 수 있는 울이 되어 주길.

멀리 있는 사람을 사랑하기는 쉽다.

가까이 있는 사람을 사랑하기란
항상 쉬운 것만은 아니다.

기아로부터 사람들을 구제하기 위해서
한 움큼의 쌀을 주는 것이

자신의 집에 있는 이의
외로움과 고통을 덜어주는 것보다 더 쉽다.

당신의 집에
사랑을 가져다주어라.

가정이야말로 우리의 사랑이
시작되는 곳이어야 하기 때문이다

<마더 데레사>

보수의 카테고리
2019년 4월 20일

변화와 혁신을 거절하는
기득권의 논리 세 가지.

1. 오히려 정반대의 결과를 낳
을 것이라는 '역효과 명제'

2. 그래봐야 기존의 체제가 바
뀌지 않을 것이라는 '무용명제'

3. 그렇게 하면 우리의 자유와
민주주의가 위태로워질 것이
라는 '위험 명제'

우리 사회에 진보와 보수에
대한 합의된 기준이 없는 것
같지만, 이 책에서 제시된 세
가지 명제가 마음에 들면 보
수의 카테고리로 보면 될 듯.

21세기의 문맹은

글을 읽고
쓸 줄 모르는 것이 아니라,

배우고(learn)
잊고(unlearn)
새로 배울 줄(relearn)

모르는 사람

<엘빈 토플러>

세월호 분향소
2019년 4월 16일

광주에서 열린 전국 시군구의장단 회의를 마치고 옛 전남도청 앞에 설치된 세월호 분향소를 찾았다.

2014년 4월 16일. 5년 전 오늘.

그날 자식을 가슴에 묻은 부모들은 5년 전 오늘로 다시 돌아가 이미 말라버려 눈물이 나오지 않는 메마른 울음을 울겠지.

노란 리본은 사랑하는 사람이 무사히 돌아오기를 바라는 마음과 그리움의 상징. 매년 오늘이 되면 얼마나 보고 싶을까ㅠㅠ.

황무지같이 끝없이 밤낮없이 널려 있는 사람들의 서러움.

제 설움에 울고 인간사가 서러워 울고 창자를 끊는 것 같이 가락과 구절이 굽이쳐 넘어가고 바람에 날리어 흩어지는 상두가에 눈물을 흘린다.

목이 메어 강가에서 울 적에 별도 크고오 물살 소리도 크고 아하아 내가 살아 있었고나 목이 메이면 메일수록 뼈다귀에 사무치는 설움, 그런 것이 있인께 사는 것이 소중허게 생각되더라 그 말 아니더라고?

......설움을 모른다면 어찌 마음이 있다 할 것인가?

〈박경리, '토지' 중에서〉

봄을 보다
2019년 3월 17일

눈으로 볼 수 있다고 봄인가.
그렇다면 봄은 '보다'의 명사형인가?

텃밭은 겨우내 땅 밑에 숨겨 놨던 생명을 땅 위로 내뱉고 있는 듯.

오늘 심은 수국이 바람을 못 이겨 가분수 머리를 흔들어대니 옆에 심은 상추 모종이 더 마음에 든다.

2주 후 첫 상추로 삼겹살에 와인 파티 초대합니다ㅋ.

3월 2일 월요일 오후 김1이 내 자리로 왔다.
그 큰 엉덩이를 실룩거리면서.
"행님 내일이 뭔 날인지 압니까?"
"화요일 아이가."
"3월 3일 하면 생각나는 거 없습니까?"
"없는데."
"삼겹살데이 아입니까!"
"아 글나. 내일 한잔 하까?"
"행님 촌스럽기는. 어데 크리스마스 때 놉니까?
이브에 놀지. 삼겹살데이에 삼겹살 묵는 거는
촌사람들이나 하는 거고. 이브에 묵어야지예."
"오늘 묵자는 거가?"
"예."
"술 조 함 짜보자."

이렇게 해서 술자리는 마련되었다.
월요일은 술이 당기는 날이다.
주말 동안 말끔해진 몸은 햇빛이 우리 존재를
빠짐없이 비추듯 유혹에 완전히 노출된 상태다.
쓰라리고 달콤한 유혹.

〈임규찬, '토끼와 빨래' 중에서〉

적선지가 필유여경
2019년 3월 10일

주님선물2 이름으로 희망풍차 나눔가족 가입.

적선지가 필유여경 (積善之家 必有餘慶)

아버지 생전에 자주 하시던 말씀

왼손이 하는 일을 오른손이 모르게 하는 분들 덕분에 우리 사회는 아직 살 만하다. 받기보다 주는 사람들로 가득한 사회가 되길 빌어본다.

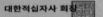

어느 아내가 프로그래머 남편에게,

아내 : 우유 하나 사와.
　　　 달걀 있으면 6개 사와.

남편은 우유를 6개 사왔다.

아내 : 왜 우유를 6개나 사왔어?

남편 : 달걀이 있길래 6개 사왔지!

소녀상
2019년 2월 12일

외국에서는 최초로 소녀상을 건립한 글렌데일시.

LA 글렌데일시에서 제정한 위안부의 날 기념 6회 전시회에 초대 받아 가깝고도 먼 서울 국회 방문.

친일을 단죄하지 못한 우리나라. 사과를 거부하는 일본.

90세가 넘은 나치 출신을 찾아내 기어이 단죄하는 독일.

김복동 할머니 장례위원 신청
2019년 1월 30일

고 김복동 할머니 시민 장례위원 신청 완료.

1926년 경남 양산 출생. 만 14세이던 1940년 일본군 위안부로 끌려가 성 노예로 고통받은 지 8년 만인 1948년 귀향했다.

1992년 3월 일본군 위안부 피해 사실을 고발, 1993년 UN 인권위원회에서 피해 사실을 공개 증언하면서 국제적 관심을 촉구했다.

2012년 전시 성폭력 피해자를 돕는 '나비기금'을 설립하고, 2015년 국제 언론단체가 선정한 '자유를 위해 싸우는 영웅'에 넬슨 만델라, 마틴 루터 킹 목사 등과 함께 이름을 올리기도 했다.

2017년에는 '김복동 평화상'이 제정되기도 했다.

2015년 한일 위안부 문제 합의를 규탄하며 화해 치유재단 해산과 일본 정부의 공식 사죄를 촉구했으며, 1년여의 암 투병 끝에 2019년 1월 28일 93세를 일기로 별세했다.

<네이버 지식백과>

여성인권운동가

故김복동님 시민장

■ 故김복동님 장례일정

빈소	신촌세브란스병원 장례식장 특1실
추모제	1월 29일 오후 7시 (평화나비 네트워크)
	1월 30일 오후 7시 (마리몬드)
	1월 31일 오후 7시 (정의기억연대)
발인	2월 1일 (금) 오전 6시 30분
장지	천안 망향의동산 (하관식 2월 1일 17시)
노제 출발	2월 1일 (금) 오전 10시 30분 (서울광장→일본대사관 행진)
영결식	2월 1일 (금) 오전 10시 30분 (일본대사관)

■ 故김복동님 시민장례위원 모집

신청링크	http://bit.ly/김복동님시민장례위원모집
회비안내	1인 1만원 이상
계좌번호	국민은행 069101-04-236302 윤미향
마감기한	1월 30일 23시 59분까지
문의전화	오성희 정의기억연대 인권연대처장 010-7129-7809
	류지형 정의기억연대 생존자복지팀장 010-9256-5731

부디 멋진 인생을
2019년 1월 25일

지방선거제도의 변화와 후보의 당선에 영향을 미치는 요인과의 인과관계에 대한 논문.

대학 졸업반인데 공부도 안하고 대책도 없기에 석사과정에 보냈더니 나온 결과물. 논문 지도 교수님의 고뇌가 데쟈뷰가 되어 주마등처럼 지나간다. 안 봐도 비디오 정도ㅋ.

기다림은 부모의 몫.

부모님을 기다리게 한 전력이 많은 나에게 기다림은 숙명.

사랑하는 딸,

염화미소로 기다려 주마. 부디 멋진 인생 살아라.

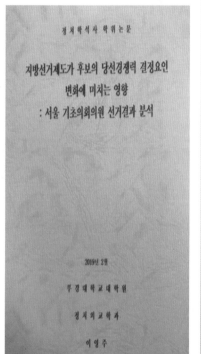

경제학석사 학위논문

지방선거제도가 후보의 당선경쟁력 결정요인
변화에 미치는 영향
: 서울 기초의회의원 선거결과 분석

2019년 2월

부경대학교대학원

경제외교학과

이영주

타깃을
작고 분명하게 잡는 것을
두려워 말자.

뾰족해야
깊이 파고,

깊이 파야

제품과 서비스의
'다움'이 생긴다.

<전창록, '다움, 연결, 그리고 한 명' 중에서>

자치 분권을 위한 법률 정책 협약식
2019년 1월 23일

부산시 구군의장협의회. 부산지방변호사회. 분권혁신운동본부 3자가 체결한 자치 분권을 위한 법률 정책 협약식.

황한식 교수님 외 분권 전문가들과 이영갑 신임 부산지방변호사회 회장님과 젊은 변호사들이 구의회와 법률 정책을 같이 하기로 약속한 의미 깊은 날.

전문가들과 함께 부산에서 자치분권의 모델과 법률 및 정책을 만들어내고, 의원 역량을 강화해 나가겠다.

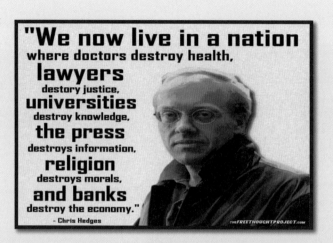

우리는

의사들이 건강을 파괴하고,
법조인들이 정의를 파괴하고,
대학이 지식을 파괴하고,
정부가 자유를 파괴하고,
언론이 정보를 파괴하고,
종교가 도덕을 파괴하고,
은행이 경제를 파괴하는 시대를 살고 있다.

<크리스 헤지스, '시대를 살고 있다'>

가수 데뷔
2019년 1월 12일

반송 놀이문화센터 화요일 오후 2시.

60여 좌석을 꽉 채우고 모자라 계단에 앉은 어르신들과 청년예술가들이 만들어내는 상설공연.

격려 방문 가서 즉석에서 '당신이 최고야', '내 나이가 어때서' 2곡 부르고 가수로 데뷔.

춤추라.
아무도 보지 않는 것처럼.

사랑하라,
한번도 상처받지 않은 것처럼.

노래하라,
듣는 이 없는 것처럼.

살아라,
지상이 천국인 것처럼.

<마크 트웨인>

바른 기운
2019년 1월 12일

충렬사 참배.

正氣라고 쓰고 <바른 기운>이라고 읽는다.

잡초가 전혀 없을 수는 없겠지만 너무 많으면 솎아내야 하는 법.

바른 것이 그른 것을 압도하는 나라다운 나라를 위하여♡

부산광역시 지정 유형문화재 제 7호

임진왜란 때 왜적과 싸우다 장렬히 순절하신 부산지방 순국선열의 영령을 모신 곳.

현재의 충렬사는 1605년(선조 38년)에 동래부사 윤훤(尹暄)이 송상현을 모신 송공사를 세우고 매년 제사를 지낸 것으로 시작.

1652년(효종3년) 충렬사를 지금의 자리로 옮기고 선열의 충절과 학행을 후세에 전하기 위해 강당과 동서재를 지어 안락서원이라 하고 사우(祠宇)와 서원(書院)으로서 기능.

1709년(숙종35년)에는 양산군수 조영규 등의 위패를 모신 별사를 옛 송공사 터에 건립하였고, 1736년(영조12년) 별사에 모셨던 분을 충렬사에 합향하였으며 1772년(영조48년)에 다대첨사 윤흥신을 추배하고 임란 때 송상현과 정발장군을 따라 순절한 금섬(金蟾)과 애향(愛香)을 위한 사당을 충렬사 동문 밖에 건립.

충렬사는 그 후에도 여러 차례의 중수와 보수를 하여 현재는 95,804m²의 경역에 본전 외 15동의 건물이 있으며 부산지방에서 순절한 93위의 위패를 봉안하고 매년 5월 25일 부산 시민 모두의 정성을 모아 제향을 봉행하고 있다.

<충렬사 관리사무소 홈페이지 내용 요약>

2018

좋은 걸 어떡해!
2018년 12월 28일

좋은 걸 어떡해!

느닷없이 삭발해도 되냐고 묻길래 알아서 해라고 했더니 깎은 머리가 니부. 아빠 세대가 중고등학교 다니던 시절 강요당했던 헤어스타일.

규정보다 길다고 바리깡으로 머리에 고속도로를 내면 아빠는 항의의 표시로 며칠간 그대로 다니기도 했단다. 아들아, 외모보다 내면이 멋진 사나이가 되길 빈다. 머리 깎기 전후.

아이들이 중학생만 되어도
아버지보다 친구를 더 좋아하기 때문에,

그때는 아버지가 사랑을 베풀고 싶어도
이미 때가 늦었다는 생각이 들 거예요.

세상 모든 일에는
때가 있는 법이지요.

아이들에게 베풀 수 있을 때
마음껏 베풀어야 해요.

좋은 아버지는

'특별한' 일을 하는 사람이 아니라
'평범한' 일을 하는 사람이에요.

<서정홍, '아무리 바빠도 아버지 노릇은 해야지요' 중에서>

무신불립
2018년 12월 22일

광역, 기초의회를 통틀어 전례 없는 '공무국외연수 주민보고회'를 전국 최초로 했다는데 큰 의미를 둔다.

'이성은 감정의 노예'

질의답변을 통해 이성적으로는 답이 되었는지 몰라도, 국외연수 자체에 대한 감성적 반감을 없애는 것은 요원해 보인다.

무신불립(無信不立)

과거의 익숙한 관행들과 결별하고, 주민과의 신뢰형성이 정답.

북극을 가리키는 지남철은
무엇이 두려운지
항상
바늘 끝을 떨고 있습니다.

여윈 바늘 끝이 떨고 있는 한
바늘이 가리키는 방향을
믿어도 좋습니다.

만약 그 바늘 끝이
전율을 멈추고
어느 한쪽에 고정될 때
우리는 그것을 버려야 합니다.

이미
지남철이 아니기 때문입니다.

<신영복의 Naver 블로그>

3대와 우리 동네 팥빙수 가게 회장님
2018년 12월 15일

노모와 외식을 하고 디저트 먹을 겸 간혹 가는 우리 동네 팥빙수
가게 회장님(사장님 남편)이 찍어 톡으로 보내주신 가족사진.

손자손녀의 재롱에 기분 좋아하는 할머니를 모시고 3대가
함께 하는 모습이 보시기에 좋았나 보다. 얼마나 더 노모를 모시
고 같이 올 수 있을지 안쓰러웠는지 어머니를 모시고 오면 팥빙수
값을 받지 않겠다고 톡을 주신다. 마음만 받았다.

건강과 장수의 축복을 허락하소서!

내 삶은 때론 불행했고, 때론 행복했습니다.

삶이 한낱 꿈에 불과하다지만
그럼에도 살아서 좋았습니다.

새벽의 쨍한 차가운 공기
꽃이 피기 전 부는 달콤한 바람
해 질 무렵 우러나는 노을의 냄새
어느 하루 눈부시지 않은 날이 없었습니다.

지금 삶이 힘든 당신, 이 세상에 태어난 이상
당신은 이 모든 걸 누릴 자격이 있습니다.

대단하지 않은 하루가 지나고
또 별거 아닌 하루가 온다 해도
인생은 살 가치가 있습니다.

후회만 가득한 과거와 불안하기만 한 미래 때문에
지금을 망치지 마세요.
오늘을 살아가세요.
눈이 부시게!

당신은 그럴 자격이 있습니다.
누군가의 엄마였고, 누이였고, 딸이었고
그리고 나였을 그대들에게

<드라마 '눈이 부시게' 김혜자의 독백>

선배 의장님들과 오찬
2018년 12월 11일

해운대구의회 선배 의장님들과 오찬 자리를 만들었다. 이미 돌아가신 분도 몇 분 계시고 개인 사정으로 참석하지 못한 분도 계셔서 2대 신중복, 3대 박정희, 4대 김영수, 5대 박선동, 6대 라외순, 7대 이문환 의장님 여섯 분을 모셨다.

91년 기초의회가 개원하고 올해로 28년. 해운대구의회의 역사를 만들어 오신 선배님들, 자주 뵙고 고견을 듣도록 하겠습니다.

건강하시고 새해 복 많이 받으십시오.

어리석은 사람은
인연을 만나도 몰라보고,

보통 사람은
인연인 줄 알면서도 놓치고,

현명한 사람은
옷깃만 스쳐도 인연을 살려낸다.

<피천득, '인연'>

태권도 겨루기 대회
2018년 12월 8일

제19회 해운대구청장기 태권도 겨루기 대회에서 축사를 하기 전에 선수들에게 자신의 부모님께 감사 인사를 먼저 하게 했다.

태권도복을 입고 있는 내 새끼 모습을 보는 것만으로도 기분 좋았을 부모님께 감사 인사까지 하게 했으니 젊은 부모들의 기분이 얼마나 좋았을까!

오늘 행사가 어른 아이 할 것 없이 몸과 마음이 다 건강한 해운대, 부산이 되는 길에 한몫을 하는 의미 있는 대회이기 바란다.

내가 새라면
너에게 하늘을 주고,

내가 꽃이라면
너에게 향기를 주겠지만,

나는 인간이기에
너에게 사랑을 준다.

<이해인, '너에게 띄우는 글' 중에서>

아이언맨
2018년 12월 4일

나에게는 나이 차가 제법 나는 무뚝뚝한 형님이 한 분 계신데, 비만 오면 혼자 미소 짓는 추억이 있다.

초등학교 방과 후 비는 억수같이 내리고, 쓰고 갈 우산이 없어 난감해 하고 있는데, 군용 판초우의를 입고 동생을 구하러 온 람보 같은 형의 모습.

비가 그치기를 기다리는 친구들을 남겨두고 의기양양하게 형의 판초우의 속으로 뛰어 들어가던 그 순간을 나는 아직도 생생하게 기억한다.

나이가 들면서 형에게 여러 가지로 섭섭한 것이 많고, 워낙 말도 없고 무뚝뚝해서 서로 대화도 많지 않지만 어린 시절 판초우의 속 형의 느낌은 아직도 어제 일처럼 선명하다.

오늘 아침 우산 하나 들고 비 속을 뚫고 나가는 우리 아이를 안아주면서 속으로 말했다. 아빠는 어렸을 때 람보 같은 형이 있었지만, 우리 아들에게는 아이언맨 같은 아빠가 있다.

아들, 사랑한다. 화이팅!

결혼을

후회하기도 하고,

슬쩍 다른 사람도 상상해 보거나,
혼자 사는 인생도 그려보지만,

다른 자식을 상상해 보거나,

자식 없이 사는 인생이
그려지지는 않는다.

<정재찬, '우리가 인생이라 부르는 것들' 중에서>

신이시여
2018년 12월 3일

오늘 속절없이 아이 하나가 별이 되었다.

젊은 엄마가 조문객 하나 없는 텅 빈 빈소에서 목놓아 통곡을 한다. 울다 지쳐 자다가 깜짝 놀라 일어나서 또 얼마나 섧게 울어댈까. 평생 가슴에 묻고 살아야 할 텐데. 생채기 난 가슴 때문에 앞으로 얼마나 오랫동안 아파할까!

아침에 헤어지기 전에 꼭 안아 주면서 사랑한다는 말을 했을까? 그랬더라면 새끼 잃은 저 젊은 엄마의 아쉬움이 덜 할까?

차가운 안치소 안에 누워있는 아이의 몸에 칼을 대기 싫어 부검을 거부하는 그 마음이 너무 안타깝다.

몸이 피곤할수록 정신이 더 또렷해진다. 누워도 잠이 오지 않을 듯. 술이라도 한잔하면 잘 수 있을까?

사랑하는 우리 아이 한 번 더 안아 봐야겠다.

신이시여, 그 아이가 살고 간 짧은 생 불쌍히 여기시고, 그가 지은 크고 작은 모든 죄를 사해주소서.

남편을 보낸 아내의 눈물이
갈색이라면

자식을 잃은 어머니의 눈물은
검은색

<현진, '오늘이 전부다' 중에서>

Wonbook

공원
2018년 11월 25일

초기 경제학의 대부 Say는 '공급은 수요를 창조한다'는 세이의 법칙을 주장했다.

해운대는 거주 인구 42만에 천문학적인 관광객을 더하면 Say의 법칙이 적용될 듯. 기업하는 사람의 눈에는 수요 창조가 식은 죽 먹기라 놓치기 아까운 물 좋은 곳일 터.

그래도 주민 94%가 공원을 원하면 꼭 수운선생을 불러오지 않아도 될 듯.

없는 사람이 살기는 겨울보다 여름이 낫다고 하지만, 교도소의 우리들은 없이 살기는 더합니다만 차라리 겨울을 택합니다. 왜냐하면 여름 징역의 열 가지 스무 가지 장점을 일시에 무색케 해버리는 결정적인 사실. 여름 징역은 자기의 바로 옆 사람을 증오하게 한다는 사실 때문입니다.

모로 누워 칼잠을 자야 하는 좁은 잠자리는 옆사람을 단지 37℃의 열덩어리로만 느끼게 합니다. 이것은 옆사람의 체온으로 추위를 이겨 나가는 겨울철의 원시적 우정과는 극명한 대조를 이루는 형벌 중의 형벌입니다.

자기의 가장 가까이에 있는 사람을 미워한다는 사실, 자기의 가장 가까이에 있는 사람으로부터 미움 받는다는 사실은 매우 불행한 일입니다. 더욱이 그 미움의 원인이 자신의 고의적인 *所行*에서 연유된 것이 아니고 자신의 *存在* 그 자체 때문이라는 사실은 그 불행을 매우 절망적인 것으로 만듭니다.

그러나 무엇보다도 우리 자신을 불행하게 하는 것은 우리가 미워하는 대상이 이성적으로 옳게 파악되지 못하고 말초 감각에 의하여 그릇되게 파악되고 있다는 것, 그리고 그것을 알면서도 증오의 감정과 대상을 바로잡지 못하고 있다는 자기혐오에 있습니다.

<신영복, '감옥으로부터의 사색' 중에서>

조문
2018년 11월 10일

만취한 운전자의 차량에 치여 의식을 잃고 중환자실에서 치료를
받다가 숨진 법조인을 꿈꾸던 고 윤창호 씨 빈소에 조문을 했습니다.

개인적으로는 카투사 후배이고,
해운대 구민이라는 공통점이 있어서 안타까움이
더 컸습니다.

고인의 영면과 유족들의 마음의 평화를 빕니다.

232

윤창호 법

'윤창호 법'은 2018년 11월 29일 국회 본회의를 통과하여 그해 12월 18일부터 시행된 '제1윤창호법'(개정 특정범죄 가중처벌 등에 관한 법률), 다른 하나는 같은 해 12월 7일 통과하여 2019년 6월 25일부터 시행된 '제2윤창호법' (개정 도로교통법)으로 나뉜다.

'제1윤창호법'은, 제5조의 11(위험운전 치사상)에서 음주나 약물 영향으로 정상적인 운전이 곤란한 상태에서 사람을 다치게 하면 "10년 이하의 징역 또는 500만 원"에 처하도록 한 것을 벌금형을 폐지하고 "1년 이상 15년 이하의 징역 또는 1천만 원"으로, 사람을 사망에 이르게 하면 "1년 이상의 유기징역"에서 "무기 또는 3년 이상의 징역"으로 개정한 것이다.

'제2윤창호법'은 운전이 금지되는 음주 기준인 혈중 알코올 농도를 "0.05%"에서 "0.03%"로 낮추고 음주 운전으로 인한 면허 취소의 결격 기간을 연장하고 음주 운전 자체의 벌칙 수준을 상향하는 내용이 포함돼 있다.

<위키백과>

Wonbook

 인터뷰
2018년 11월 3일

국외연수 중 미국 전역에 방송되는 Kbs-America에 출연.

<KBS 인터뷰 동영상 보기>

YOUTUBE.COM
10.09.18 KBS America News 이명원 해운대구의장 "한인의 날 조례 제정 추진"

1. 예수가 "죄 없는 자, 저 여인에게 돌을 던져라"라고 하면,
 <예수, 매춘부 옹호 발언 파장>
 <잔인한 예수, 연약한 여인에게 돌 던지라고 사주>라고 쓴다.

2. 석가가 구도의 길을 떠나면,
 <석가, 국민의 고통 외면, 저 혼자만 살길 찾아> 라고 쓴다.

3. 소크라테스가 "악법도 법이다."라고 하면,
 <소크라테스, 악법 옹호 파장>이라고 쓴다.

4. 시저가 "주사위는 던져졌다."라고 하면,
 <시저, 평소 주사위 도박광으로 밝혀져>라고 쓴다.

5. 김구 선생이 "나의 소원은 첫째도 둘째도 셋째도 통일"이라 하면,
 <김구, 통일에 눈이 멀어 민생과 경제 내팽개쳐>라고 쓴다.

6. 클라크가 "소년들이여, 야망을 가져라"고 하면,
 <클라크, 소년들만 야망 가지라고, 심각한 성차별 발언>이라고 쓴다.

7. 최영 장군이 "황금 보기를 돌같이 하라"고 하면,
 <최영, 돌을 황금으로 속여 팔아 거액 챙긴 의혹>이라고 쓴다.

8. 링컨이 "국민의, 국민에 의한, 국민을 위한"이라고 하면,
 <국민을 볼모로 하는 국가 정책에 국민은 피곤하다>라고 쓴다.

9. 니체가 "신은 죽었다"고 하면,
 <현 정권, 신이 죽도록 뭐했나>라고 쓴다

<어느 외교관이 본 한국 언론의 왜곡 행태를 빗댄 유머^^;>

Wonbook

대인춘풍 지기추상
2018년 9월 13일

제8대 전반기 부산시 구군의회 의장협의회 개최. 회장단이 구성되면서, 여야 만장일치로 전반기 회장으로 추대되었습니다.

리더는 '실력', '매력', '능력'의 세 가지 덕목을 갖추었을 때 자발적 복종을 이끌어 낼 수 있다고 하는데, 과분한 자리를 맡은 게 아닌지 걱정입니다.

대인춘풍 지기추상(待人春風 持己秋霜)

<'채근담'>

어떤 사회 문제든
해결을 위한 첫 걸음은

바로

문제를 인정하는 것이다.

. 편견은

어떤 증거가
자신을 끌어내리려 할 때마다

격렬하게 저항한다.

<루이즈 애런슨, '나이듦에 관하여' 중에서>

허락해 주십시오
2018년 5월 19일

선거사무소 개소식합니다.

한 번 더 허락해 주십시오♡

증 제 2018-19 호

당 선 증

더불어민주당
이 명 원

귀하는 2018년 6월 13일 실시한
해운대구의회의원선거에서 해운대구
사선거구의 당선인으로 결정되었기에
이 증서를 드립니다.

2018년 6월 15일

해운대구선거관리위원회

인문도서관 개관
2018년 3월 20일

인문학 도서관 개관.

2010년부터 초선 출마하면서 내걸었던 공약인데
햇수로 8년 걸렸다ㅋ.

우공이산.
오늘은 샴페인 터뜨려도 되겠지ㅎ.

간절히 바라면 이루어진다!

우리 조상은 이미 그걸 알고 있었다.
소원을 이루기 위해 정성스럽게
백일기도를 했다.

정성을 다해 기도하는 동안
전두엽과 측두엽에
문제에 대한 정보가 끊임없이 입력되고,

우리 뇌의 잠재의식은
그 정보를 토대로
해결책을 찾아낸다.

그리고 나도 모르는 사이
내 마음도 그 방향으로 움직인다.

문제 해결에 한 걸음 가까워지는 것이다.

<이시형, '세로토닌 하라' 중에서>

출판기념회
2018년 3월 12일

우리 가족이 공동 저자인 '이명원 가족의 28일간 유럽여행' 출판 기념회를 성황리에 마쳤습니다.

직접 오셔서 격려해 주신 분들과 멀리서 마음으로 응원해 주신 모든 분들께 감사드립니다.

앞으로도 사랑하는 마음으로 살겠습니다. 모두 서로 사랑하면서 살면 좋겠습니다. 감사합니다.

신흥사 가는 길
2018년 1월 23일

신흥사 가는 길에 드러난 길.

눈이 녹아 드러난 나의 앞사람이 걸어간 길.

내 뒤에 올 사람을 위해 오늘도 나는 바로 가고 있는지
한 번 돌아본다 ㅎ.

눈 내린 들판을 걸을 때

발걸음을 함부로 내딛지 마라.

오늘 나의 발걸음이

언젠가

뒷사람의 이정표가 될 것이기에.

<서산대사>

2017

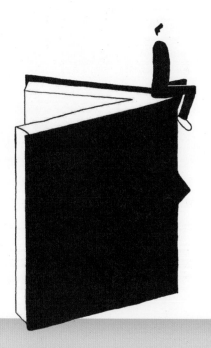

울 엄마
2017년 11월 19일

서동성당 역사를 다시 쓰시며 레지오 35년 공로상을 최초로 받으신 울 엄마.

축하하기 위해 일본에서 날아온 작은 누님과 축하 기념 샷.

평생 동안 자식들 기도를 빼먹지 않으신 어머니께서 받으실 상급이 천국에 가득하길 빕니다.

제17호-0031호

연 공 상

서동성당
인자하신 모친 Pr.
이숙녀(마리아)

위 사람은 레지오 마리애 단원으로
35년간 사도적 활동에 이바지한 공이
크므로 이 상을 드립니다.

2017년 10월 7일

부산 바다의 별 레지아
지도신부 장 재 봉

<레지오 마리애>

레지오는 가톨릭 평신도 사도직 단체 중의 하나
로서 아일랜드에서 1921년 시작되었다.

1925년 로마 군대 조직의 명칭을 도입하여 '마리
아의 군대'라는 의미의 레지오 마리애라는 명칭
으로 부르기 시작했다.

조직은 단위체인 쁘레시디움, 평의회인 꾸리아,
꼬미시움, 레지아, 국가평의회인 세나투스, 중앙
평의회인 꼰칠리움 레지오니스로 구성된다.

일반적으로 각 본당에 둘 이상의 쁘레시디움이
만들어졌을 때 꾸리아가 설치되고, 몇 개의 꾸리
아를 묶어서 꼬미시움이 되는 형식을 취하고 있
따.

한국의 레지오 마리애는 1953년 창단되었고, 현
재 서울, 광주, 대구 세 곳에 국가 평의회인 세나
뚜스가 있고, 15개 레지아, 245개 꼬미시움으로
구성되어 있다.

<Naver 지식백과>

선수촌 밴드
2017년 11월 7일

제6회 수영강 축제에 우리 선수촌 밴드가 초대되었다.

살면서 악기 하나쯤 다룰 수 있어야 한다고들 말한다. 나이 들어 마음 맞는 사람들과 좋아하는 음악을 할 수 있어서 참 좋다.

왼손의 위치로 보아 들국화의 행진.

<들국화, '행진' 노래 듣기>

여행객 : 오늘 날씨가 어떨 것 같소?

목 동 : 내가 좋아하는 날씨라오.

여행객 : 댁이 좋아하는 날씨일지 아닐지를 어떻게
        안다는 말이오?

목 동 : 지난 일을 돌이켜보면 나는 내가 좋아하는
        것 만을 가질 수는 없었소.

        그래서 나는 무엇이든 내가 가진 것을
        좋아하게 되는 법을 터득했다오.

        그러니 내가 좋아하는 날씨가 될 게
        분명하오.

        <정규한, '나를 넘어 그 너머로' 중에서>

애마 3번 줄
2017년 9월 20일

정기 공연을 한 달여 앞두고 애마 3번 줄이 그만 울고 싶은지 운명을 다했다.

한 가닥 기타 줄에 불과하지만 수년간 동고동락하면서 쓰다듬던 놈이라 그냥 보내기가 아쉽다.

나이 탓인가? 계절 탓인가! 내가 튕기기만 하면 기꺼이 나 대신 울고 웃어주던 애마 3번 줄을 보내며 오늘 또 한 잔.

인간은

광장에 나서지 않고는
살지 못한다.

그러면서도 한편으로

인간은

밀실로 물러서지 않고는
살지 못하는 동물이다.

광장은 대중의 밀실이며
밀실은 개인의 광장이다.

〈최인훈, '광장' 1961년판 서문 중에서〉

시지프스
2017년 5월 8일

지옥의 신 하데스의 저주로 죽을힘을 다해 산 정상에 바위를 밀어 올려놓으면 굴러 내려오고, 산 정상에 다 올려놓았나 싶은 순간, 또다시 굴러 내려가는 바위를 속절없이 바라보는 시지프스!

굴러 내려간 대한민국이라는 바위를 처음부터 다시 산 정상으로 밀어 올려야 한다면, 시지프스에게만 맡겨놓지 말고 한 손이라도 같이 거들어보자.

그림자를 등지고 걸어가는 두 사람의 실루엣이 외로워 보인다.

구르는 돌멩이를 보며
시지프스의 신화를
생각한다.

도달할 수 없는
정상을 향해
우리는 돌을 굴린다.

돌이 굴러 떨어질 것을 알면서
도달할 수 없는 정상을 향해
지치고 병들 때까지

돌이 굴러 떨어질 것을 알면서
거기 정상이 있기에

우리 모두
젊은 시지프스처럼
지치고 병들 때까지
우리는 돌을 굴린다.

<오선과 한음, '시지프스의 신화' 노래 듣기>

Wonbook

 흔적
2017년 3월 29일

얼마 전 오랜 친구가 카톡으로 보내온 자신의 추억 속에 존재하는 나의 흔적 한 조각.

80년 초 당시 나는 육군사관학교에서 어려운 과정 다 거치고 2학년 생도로서 한껏 폼을 잡고 있던 시절. 강원도 골짜기에서 군 생활을 막 시작한 친구에게 면회를 갔다.

환한 미소가 오히려 안쓰러워 면회를 갔다 와서 친구에게 편지를 쓰면서 내가 힘들 때 즐겨 암송하던 <푸쉬킨>의 시를 보내주었던 모양인데.

편지의 다른 부분은 없어지고 시 부분만 남아있는 걸 보면 시를 자주 되뇌어야 할 만큼 친구의 군 생활이 힘들었던가 보다. 사실 친구는 당시 억울한 일에 연루되어 많이 힘들었다는 것을 한참 나중에 알게 되었지만.

이제 그 당시 우리보다 나이가 더 많은 아들딸을 가진 아빠가 되어 다시 만나게 된, 젊은 날 내가 손으로 직접 눌러 써 보냈던 편지 조각을 보면서 왠지 가슴이 먹먹해 지는 건 오늘 아침 내리는 비 때문인지 아니면 머리에 난 흰 계급장 때문인지!

257

2016년 이전

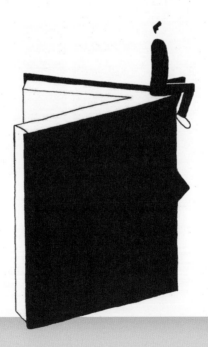

사랑해!
2016년 11월 12일

아빠는 너희들이 몰상식이 아닌 상식이, 반이성이 아닌 이성이, 탈법이 아닌 준법이, 거짓이 아닌 참이 존중받는 나라다운 나라에서 살기를 희망한다!

사랑해!

우리에게는 혁명을 해 놓고도 그 혁명을 비혁명으로 마무리 지은 역사가 있다.

4.19혁명은 박정희로 귀결되었고, 6.10 항쟁은 노태우로 귀결되었다.

더 나은 세상은 오지 않았다. 친일파와 기득권은 더 강해졌다. 비상식은 여전히 상식이었고, 불합리는 일상이었다.

야만과 폭력과 예외 상태는 정상이었다. 부패는 부러움의 대상이었다. 국민은 혁명을 했지만 정치꾼들은 그것을 계산으로 마무리 지었다.

그러나 2016년 촛불혁명은 4.19혁명, 6.10항쟁과는 다른 경로일 것이다.

그것은 성공한 혁명의 길이다.

<임규찬, '발견의 시대' 중에서>

Wonbook

 일희일비
2016년 10월 2일

운7기3으로 따낸 한자 1급.

오랜만에 쳐보는 시험이지만, 살아오면서 합격만큼 많았던 불합격의 경험들이 새삼 주마등처럼 흘러간다.

꼭 합격되고 싶었는데 떨어져 버려 아쉬워했던 불합격이 더 많았지만, 합격되지 않았더라면 더 좋았을 합격의 경험도 없지 않았지.

때와 상황이 다를 뿐 매 순간 만나는 합격과 불합격의 갈림길에서 만나게 되는 일희일비. 재미있다!

Stay hungry, stay foolish!

행복은 좋은 삶의 부산물이다.

행복: 순간적인 기쁨이나 즐거움

만족: 삶에 대한 전반적인 충족감

좋은 삶(에우다이모니아): 자신의 가능성을
계발하고 채우면서 얻는 삶

〈브루노 S 프라이, '행복, 경제학의 혁명' 중에서〉

요요 강습
2016년 1월 16일

막둥이 요요 강습을 위해 아침 7시 출발. 서울 송파구에 도착하니 12시 30분. 간단히 요기하고 YJ요요클럽에 도착.

굉장히 비싼 요요를 사고, 요요 장갑, 요요 가방으로 완전 무장한 후 여러 가지 요요 기술을 배우고, 롯데월드에서 지칠 때까지 놀고 1박.

이틀째 국회의사당, 대학 탐방 겸 서강대, 연세대 들렀다가 다시 YJ요요 클럽에서 2차 요요 강습^^;

일정을 마치고 차에 타자마자 피곤해서 곯아떨어지기 전 하는 말. "아! 너무 재미있었다!"

행복은

기쁨의 '강도'가 아니라 '빈도'

'이 또한 지나가리라'는 말처럼

아무리 대단한 성취나 환희도
시간이 지나면

익숙해지고
무덤덤해지고 만다.

<문유석, '개인주의자 선언' 중에서>

호두까기 인형
2015년 12월 14일

크리스마스 시즌에는 '백조의 호수'나 '지젤', '돈키호테', '호두까기 인형' 중에 한 작품은 감상할 수 있는 호사는 누려야 바쁘게 달려온 한 해를 보낼 수 있지 않을까.

토슈즈를 신고 발레를 전공한 와이프는 대학 시절 차이콥스키의 발레 작품 <돈키호테>로 큰 상을 받을 만큼 재원이었는데…

호두까기 인형

클라라를 비롯한 아이들이 할아버지에게서 크리스마스
선물을 받고 기뻐한 뒤 잠들었을 때, 생쥐 왕이
부하들을 이끌고 습격해 온다.

호두까기 인형이 병사 인형들을 지휘해 맞서지만
전황은 불리하기만 하다. 이 때 클라라가 슬리퍼를 던져
생쥐 왕을 쓰러뜨리자 생쥐들은 모두 도망가 버린다.

호두까기 인형이 왕자로 변신해 생명을 구해준 보답으로
클라라를 과자 나라에 초대한다.

각 과자를 상징하는 요정들이 차례로 춤을 춘 뒤
모두가 한데 어울려 흥겹게 춤추는 것으로 마무리 된다.

<네이버 지식백과>

우연, 낚시바늘, 기대
2015년 8월 15일

주님 주신 선물 2호와 함께 사나이끼리 추억을 만드는 중.

아빠도 살아보니 인생은 마라톤 맞더라. 부디 강태공의 교훈을
배우기를.

우연은 항상 강력하다.
항상 낚싯바늘을 던져두라.
전혀 기대하지 않은 곳에 물고기가 있을 것이다.

<오비디우스>

내가 입을 다물었다면
나는 메기에 입지 않을 것이다.

불효부모 사후회
2014년 6월 11일

동주를 키우면서 우리 아부지가 당신의 막내를 어떻게 키우셨는
지 충분히 짐작이 된다. 나는 막내.

'좋은 걸 어떡해'라는 노래 가사처럼 아부지도 내가 그냥 좋았는
가 보다. 아부지한테 혼난 적 없고, 나도 동주를 혼낸 적 없다.

아부지한테 당선증을 보여드리고 왔다. 옆에 계셨더라면 얼마나
좋아하셨을까. 주자십회 중 불효부모 사후회 실천 중.

<폴앵카, 'Papa' 노래 듣기>

당선
2014년 6월 10일

3개월 대장정의 화룡점정 해단식.

오늘에야 선거사무소 짐을 다 빼고 마무리.

일정이 겹쳐 당선증을 부탁했더니 시간에 딱 맞춰 오신 두 분 동장님의 센스. 평소 존경하는 여러 내빈들의 축하 말씀과 주민들을 잘 모시라는 말씀 명심하겠습니다…

좋은 제도를 만들고

희망을 설득하고

협력을 잘 이끌어내고

함께 잘 사는 사회를 위해

선거운동
2014년 5월 25일

선거운동 4일차. 오후 늦게 비.

햇살을 막아주던 양산이 비가 내리자 비를 막아주는 우산으로 트랜스포머처럼 변신. 내일도 비가 온다는데 우리 선거운동원들은 이명원 우양산을 쓰면 No problem.

낮에는 대선후보인 문재인 의원이 지원유세를 와서 수영 강변에서 우리 선거운동원들과 기념 컷. 힘들지만 즐거운 일도 있는 법.

노트 한 권을 첫쪽처럼 깨끗하게 필기하기가
쉽지 않습니다. 마음에 들지 않는 쪽을 뜯어내면
뒷부분이 그만큼 떨어져 나갑니다.
결국 뜯어내기보다 그 다음 쪽을 정성들여 쓰게
됩니다. 깨끗하지는 않지만 정성이 담겨 있는
두툼한 노트를 얻게 됩니다. 신 꺽

밥차 행사
2014년 4월 10일

지난달에 이어 오늘은 4동 밥차 행사.

신의 손놀림으로 잔반 처리하다가 1차 세척조로 변신하여 옷에 물 한 방울 안 튀기는 솜씨로 식기 세척.

오른손이 하는 일을 왼손이 모르게 하신 여러분~
복받을꺼…

〈운율7〉

가장 받고 싶은 상

우덕 초등학교
6학년 1반 이슬

아무 것도 하지않아도
짜증 섞인 투정에도
어김없이 차려지는
당연하게 생각되는
그런상

하루에 세번이나
받을 수 있는상
아침상 점심상 저녁상

받아도 감사하다는
말 한마디 안 해도
되는 그런상
그때는 왜 몰랐을까?
그때는 왜 못 보았을까?
그 상을 내시던
주름진 엄마의 손을

그때는 왜 잡아주지 못했을까?
감사하다는 말 한마디
꺼내지 못했을까?

그동안 숨겨왔던 말
이제는 받지 못할상
앞에 앉아 홀로
되내어 봅시다.

"엄마, 사랑해요.
"엄마, 고마웠어요.
"엄마, 편히 쉬세요.

세상에서 가장 받고 싶은
엄마상
이제 받을 수 없어요.

이제 제가 엄마에게
상을 차려 드릴게요.
엄마가 좋아했던
반찬들로만
한가득 담을게요.

하지만 아직도 그리운
엄마의 밥상
이제 다시 못 받은
세상에서 가장 받고 싶은
웃는 엄마 얼굴 (상)

<2016년 전북도교육청 주최 글쓰기 공모전 동시부문 최우수상>

천안함 4주기
2014년 3월 26일

오늘은 천안함 4주기…

수장된 병사들 유가족들은 어쩌라고 비가 오노^^;

아직 채 마르지 않은 그들의 눈물이 비가 되어 내리는가!
천안함의 순국선열들이여. 부디 편히 잠드시라.

우리 막둥이가 캡틴 코리아가 되어
미래의 대한민국을 지킬 겁니다.

고등학교 졸업식도 못하고 육군사관학교에서 beast training
이라고 불리는 군사 훈련을 받을 때 일.

녹초가 되어 깊이 잠든 어느 깊은 새벽.

피곤한 몸을 흔들어 깨우는 바람에 억지로 눈을 떠보니
난데없이 북한의 도발. 완전군장으로 연병장에 즉시 집합.

그전에 부모님께 유서를 쓰란다.
유품으로 부모님께 전달될 손톱이나 머리카락과 함께…

고향에 돌아가고 싶은 사람은 가도 좋다고 한다…
그 짧은 선택의 시간.
충과 효의 선택의 갈림길.
그리고 죽음에 대한 원초적 두려움…

그러나 한 목숨 조국을 위해 내어놓기로 결심.
부모님 전상서에 눈물 자국 남기고 대기 중인 트럭에 몸을 싣
고 전선으로 출동.
한 놈이라도 더 죽이고 나도 죽겠다고 결심했다.
고향의 부모님과 형제들을 위해서.

나는 그때 조국을 위해 죽었다.

우리 막둥이도 캡틴코리아가 되어 미래의 조국을 지킬 겁니다.

동주, 학생
2012년 3월 4일

동주 정식 초등학생 되는 날.

天地有萬古 (천지유만고)   此身不再得 (차신불재득)

人生只百年 (인생지백년)   此日最易過 (차일최이과)

<채근담>

하늘과 땅은
만고에 존재하되

이 몸은
다시 얻을 수 없고,

인생은 다만
백년 뿐이로되

오늘이
가장 지나가기 쉽도다.

<채근담>

원북(WON BOOK)

초판인쇄 2022년 2월 12일

글	이명원
펴낸이	임규찬
펴낸곳	함향 출판등록 제 2018-000007호
주소	부산광역시 동래구 명륜로69 상가동 1001호
E-mail	phil8741@naver.com
블로그	blog.naver.com/phil8741
편집디자인	씨에스디자인

글 ⓒ 이명원
저작권자와의 협의에 따라 검인을 생략합니다.
ISBN 979-11-964532-8-2

도서출판 **함향**은 함께 향유합니다.

이 책에 실린 모든 글과 그림은 저작권법에 보호받는 저작물이므로 무단 전재와 무단 복제를 금합니다.
책의 내용을 이용하려면 반드시 저작권자와 도서출판 함향의 서면동의를 받아야 합니다.